*Michoacán. . . mas cerca
que nunca*

MICHOACAN... MAS CERCA QUE NUNCA

 GOBIERNO DEL ESTADO DE MICHOACAN
SECRETARIA DE TURISMO

Michoacán. . . más cerca que nunca

Primera edición 1996
© GOBIERNO DEL ESTADO DE MICHOACÁN
  SECRETARÍA DE TURISMO DEL ESTADO

  Nigromante 79 - Palacio Clavijero
  91 (43) 12 80 01 y 12 04 15
  Morelia, Mich., México, 1996
  ISBN 968-7376-52-X

IMPRESO EN MORELIA, MICHOACÁN, MÉXICO

MICHOACAN... MAS CERCA QUE NUNCA alude a nuestro Estado y a los diferentes caminos para llegar a él y conocerlo en sus tradiciones ricas y grandes creaciones históricas, en su extraordinaria geografía de montañas y lagos y en el temple de su pueblo, de orgullosa raíz purépecha y férrea voluntad revolucionaria. Porque hoy, Michoacán está más cerca que nunca de la República Mexicana de la cual forma parte, integrado a una Nación que despierta a una nueva era de prosperidad, democracia y justicia. Porque hoy, Michoacán está más cerca del mundo, de los enormes cambios que está experimentando la faz del planeta para adaptarse a tecnologías y comunicaciones antes ni siquiera imaginadas.

Michoacán está más cerca que nunca del Centro y del Occidente del país, abierto al visitante que quiera descubrir sus tesoros y múltiples identidades en la bella arquitectura colonial de sus ciudades y templos, en la policromía y maestría de sus artesanías, en el espejo de sus lagos y en la densidad azul de sus bosques y montañas.

MICHOACAN... MAS CERCA QUE NUNCA, es el certero título de esta obra, publicada para regocijo de aquellos que buscan abrevar de la sabiduría de nuestra tierra michoacana, tan llena de misterios y revelaciones. A menos de trescientos kilómetros de la Capital de la República, el viajero podrá encontrar los maravillosos santuarios de la mariposa monarca, las aguas termales que descansan el cuerpo y purifican el espíritu, el Centro Histórico de la ciudad de Morelia, declarada patrimonio cultural de la humanidad por sus palacios y monumentos; y los

increíbles Lagos de Pátzcuaro y Zirahuén, con sus historias y atractivos inagotables.

Lugar de esparcimiento y aventura para el turista; de retos y recursos extraordinarios para el hombre de negocios e itinerario obligado para el intelectual y el historiador que aprecia la cultura nacional, hoy **MICHOACAN ESTA MAS CERCA QUE NUNCA.**

LIC. VICTOR MANUEL TINOCO RUBI
GOBERNADOR CONSTITUCIONAL DEL ESTADO
DE MICHOACAN DE OCAMPO.

MICHOACAN... MAS CERCA QUE NUNCA

Desde que se constituyó el Estado de Michoacán se empezó a comentar, para quedar dicho así en los textos de geografía de los niños michoacanos, que el contorno de la entidad tiene la forma de una piel de toro extendida.

No es la piel del Toro que raptó a Europa, es la piel de un toro que contiene a uno de los estados de la federación mexicana más rico y variado en todo aquello que concierne a su naturaleza. ¡Y cómo no va a ser así, si además de que sus coordenadas extremas son 17° 56' y 20° 23' de latitud norte y 100° 03' y 103° 35' de longitud oeste con relación al meridiano de Greenwich, sus accidentes topográficos lo han dotado de una multiplicidad de paisajes, climas y microclimas que le dan su peculiar encanto!

Ya el nombre mismo: MICHOACAN, de origen nahuatl, nos devela en parte los atractivos de esta entidad; dícese que significa lugar de peces o de profusa pesca. Y es que Michoacán es una tierra en la que abundan los lagos y en muchos de sus ríos y riachuelos también, como en aquéllos, la pesca es sobrada y variada. Los lagos, aunan a su riqueza piscícola su singular belleza: Pátzcuaro, Zirahuén, Camécuaro, Cuitzeo, las lagunas Verde y Larga y la de Zitimeo e incluso una parte del antiguamente llamado *Mar Chapálico*, tiene cada uno su distintivo encanto enriquecido por la flora y la fauna silvestre que los enmarca. Mas la mano humana también ha hecho posible la construcción de muchos otros lagos artificiales; los embalses que han sido hechos para irrigar tierras o producir fluido eléctrico, y en algunos de ellos se han sembrado peces de distintas especies o han sido llevados por las aguas de los ríos que los nutren, en donde se practica la pesca deportiva, como, por ejemplo, en las presas de El Bosque, Brockman, Pucuato, Sabaneta, Mata de Pinos, Umécuaro, Infiernillo, entre otras.

Michoacán se encuentra atravesado por un complejo sistema montañoso que le da un perfil singular y en el que el suelo se levanta a distintas alturas, formando entre ellas valles y praderas, que por el norte se allanan en la cuenca del Río Lerma dando lugar a los bajíos michoacanos ricos en tierras cultivables. Se trata del eje neovolcánico que atraviesa el país desde el macizo de los Tuxtlas sobre el Golfo de México hasta el Cabo Corrientes en el Pacífico. Todas estas montañas están acompañadas de innumerables chimeneas volcánicas que sobresalen como verrugas de la tierra claramente

perceptibles, viéndose por ello, muy palpablemente, que el territorio en esta parte del estado ha tenido, a lo largo de los siglos, una casi ininterrumpida actividad telúrica, siendo su más reciente muestra la erupción, en febrero de 1943, del volcán Paricutín en la Sierra de Uruapan.

Al sur, después de la gran depresión de la Tierra Caliente, otra cordillera más escarpada, la Sierra Madre del Sur, corre casi paralela a la costa del Pacífico, en donde Michoacán disfruta 200 kilómetros de litoral limitado por la desembocadura de dos importantes ríos: el Balsas y el Coahuayana.

Michoacán tiene una superficie de 59,864 Kms. cuadrados en cuyo territorio, desde muy antiguo, habitó el hombre.

Presa Pucuato

Mil Cumbres

11

Ihuatzio (zona arqueológica)

San Felipe de los Alzati (zona arqueológica)

El hombre y su medio

Los tarascos, el grupo humano más importante y numeroso que poblaba el lugar a la llegada de los europeos en el siglo XVI, eran el producto del mestizaje entre los conquistadores *vacúsechas*, que arribaron en el siglo XII, y los antiguos pobladores que habitaban, fundamentalmente, en la cuenca del Lago de Pátzcuaro, y éstos, a su vez, eran descendientes de otros grupos que desde antes de la era cristiana se avecindaron en distintos lugares de la entidad. De ahí que el territorio está salpicado de vestigios arqueológicos que delatan las diversas ocupaciones humanas que en estos lares han tenido lugar.

Cronológica y culturalmente la arqueología de la entidad apenas se empieza a bosquejar; hay evidencias del período formativo o Preclásico, un poco más del período Clásico (200a 800 d. C.), y mayor conocimiento del Postclásico (800 a 1521 d. C.), especialmente de la etapa histórica que se llena con la cultura tarasca.

Se supone que en tiempos del Clásico y Postclásico temprano el territorio estuvo ocupado por grupos humanos de filiación nahua, los que desarrollaron una cultura vinculada con los grupos de Teotihuacan, Tula, Jalisco, Nayarit y Colima, principalmente, como puede verse en las zonas arqueológicas de Tingambato, Los Alzati, Loma de Santa María al sur de Morelia y Las Iglesias en Zacapu.

Lingüísticamente el idioma tarasco parece tener vínculos o semejanza con las lenguas de la costa peruana; y en los conceptos de las tumbas de tiro, como las de El Opeño en Jacona y Lomas de Otero en

San Juan Parangaricutiro

Volcán de Paricutín

Jiquilpan, las lápidas con figuras esquematizadas, los soportes de las vasijas con representaciones antropomórficas y zoomórficas, la policromía y ciertos diseños cerámicos con otros rasgos más, parecen acusar influencias de Centro y Sudamérica.

Otras zonas arqueológicas hasta ahora exploradas como Tzintzuntzan, Ihuatztio y Pátzcuaro, junto al lago de este nombre, Huandacareo, muy cercana al Lago de Cuitzeo, y otras áreas próximas a Zacapu, pertenecen ya al período clásico en el que están inscritos los tarascos precolombinos.

Todos aquellos antiguos pobladores que desarrollaron culturas urbanas y ciudades en torno a sus centros ceremoniales vivieron de la caza, la pesca y principalmente de la agricultura, de ahí que en muchísimos lugares de Michoacán, como en muchos otros del territorio de Mesoamérica, se encuentren en lo que fueron las tierras de cultivo, con frecuencia, casi a flor de tierra, cientos de *figulinas* de cerámica representando mujeres embarazadas o lactantes (diosas madres), que los campesinos de la antigüedad en un ritual mágico depositaban en la tierra para hacerla propicia a la fertilidad.

En los museos michoacanos, ricos en colecciones arqueológicas, pueden contemplarse multitud de objetos que formaron parte de la vida cotidiana o religiosa de aquellos primeros habitantes.

La sabiduría de los naturales de Michoacán hizo posible que la conquista española no fuera tan cruenta en su territorio como en otros lugares de la naciente Nueva España.

Por otra parte, un distinguido español, el licenciado Vasco de Quiroga, primeramente como visitador en

Cerámica Prehispánica

Vendedora de cerámica

Michoacán de la Segunda Audiencia de México y poco después como su primer obispo, desplegó una política de aculturación favorable para los naturales, logrando con ella interesantes sincretismos que están vivos y manifiestos en nuestros días en casi todas las festividades religiosas de los pueblos indígenas; asimismo, aprovechando la exquisita sensibilidad de los tarascos y buscando a la vez un equilibrio económico y social en su proyecto de *Utopía*, sentó las bases para el desarrollo de todo esto que ahora constituyen las artes populares de Michoacán, cuyoconocimiento se trasmite de padres a hijos, desde que éstos están en muy tierna edad.

Sta. Cara: Desde niños aprenden de los padres

Los trabajos de cerámica en donde los estilos y las formas ocupan un lugar muy especial en el contexto mexicano, permiten distinguir uno de otro los productos de los diversos pueblos alfareros de Michoacán:

18

Maques y Lacas perfiladas en oro

Zinapécuaro, Capula, Tzintzuntzan, Cuitzeo, Santa Fe de la Laguna, San José de Gracia, Patamban, Ichán y las diabluras de Ocumicho; los hermosos textiles de algodón y de lana, hilados, deshilados y bordados que salen de las manos de hada de los artesanos, hombres y mujeres, de Pátzcuaro, Pichátaro, Sevina, Aranza, Angahuan, Erongarícuaro y cien lugares más, en donde los entramados, los colores y motivos hacen de cada pieza una "viva moneda que nunca se volverá a repetir"; la cestería y sombrerería de tule y paja, los objetos decorativos de los mismos materiales y *chuspata*, asi como las esteras o *petates*, han dado fama a los artistas y artesanos de Tzintzuntzan, Santa Fe de la Laguna, San Jerónimo, San Pedro Pareo, Sahuayo, San Lucas Pío y otros muchos sitios.

Desde los tiempos pre-

Piezas de cobre de Sta. Clara

cortesianos hubo, como dan testimonio de ello infinidad de artefactos, gran habilidad para trabajar el cobre. En la actualidad muestran su antiguo linaje los objetos que de este metal se manufacturan en Santa Clara del Cobre, los que por su belleza y la técnica con la que son elaborados han dado en el mundo un buen nombre a los menestrales michoacanos. Asimismo, los artesanos de San Felipe de los Herreros, de Pátzcuaro y Morelia realizan trabajos forjados a martillo y fragua convirtiendo el duro hierro en delicados herrajes: ventanas, puertas, celosías de exquisitas y caprichosas formas, guardianes de las casas michoacanas.

El oro y la plata, metales abundantes en las entrañas de la tierra y ríos michoacanos, son transformados por las manos de los orfebres de Pátzcuaro, Huetamo y otros puntos de la Tierra Caliente, en finos y

Joya de Huetamo

delicados objetos de arte y lujo que engalanan las orejas, cuellos y manos de las mujeres michoacanas en los días de la fiesta, cuando la policromía de los vestidos y bordados rivaliza con el explosivo colorido de las luces de Bengala, teniendo como fondo los arpegios de los bravíos sones, las pícaras valonas o la cadenciosa música de los compositores regionales.

Los antiguos pobladores de Michoacán, gracias a la enorme riqueza forestal que tenía la entidad, incomparablemente mayor que la que ahora posee, sabían labrar la madera con la que hacían sus viviendas -el inmediato antecedente de las

Talla en madera

Laudería

actuales trojes y muchos otros utensilios de uso común, a veces policromados previa aplicación de una capa de maque, técnica que con algunas ligeras modificaciones se sigue utilizando en la decoración de cierto tipo de muebles de gran calidad, cuyos antecedentes que provienen desde la época virreinal son las famosas bateas laqueadas de Peribán, Uruapan, Pátzcuaro y Cocupao, ahora Quiroga, las que tenían características que las singularizaban unas de otras. En todas ellas la pintura se aplicaba con la técnica del falso *cloisonné* lo que daba esa permanencia, casi indestructible, al color, como se sigue haciendo en Pátzcuaro y Uruapan.

Tanto en las bateas como en los muebles, se suele usar en Pátzcuaro hoja de oro o latón incrustado, lo que da un agregado más a la esquisitez de las piezas.

Igualmente, de madera,

21

hay toda una gama de juguetes: trompos, baleros, maromeros, carritos, caballitos, boliches, etc., que hacen el encanto de los niños. Asimismo, de la madera de los aromáticos bosques de la *Meseta Tarasca* ha aflorado en Paracho y Cheranatzicurín la producción de una fina y variada laudería.

Juguetería

En fin, hablar de todas las artesanías que el talento y la laboriosidad de los michoacanos produce sería un historia interminable.

Raíces, árboles y arbustos propios y aclimatados en las distintas regiones michoacanas vigorizan la etnobotánica mexicana como un rico aporte a la medicina natural a la cosmetología, a la industria y de modo especial a la alimentación, de ahí que la comida michoacana sea variadísima y de una irrefrenable tentación para la gula.

Plato de corundas

22

Sopa de Peje Rey

Dulces

Sopa Tarasca

Solamente el maíz, aparte del rastrojo utilizado como alimento para bovinos y equinos, los michoacanos lo consumen de una y mil formas: la clásica tortilla en todas sus variantes; los elotes cocidos, y ya elaborado como uchepos: de dulce, de sal y de leche; tamales y corundas, las hay de manteca y de ceniza que aderezadas con crema de leche de vaca, salsa con rajas de chile poblano y carne de cerdo constituyen un apetitoso platillo; el tradicional atole blanco de origen prehispánico y los de sabores: de tamarindo, piña, fresa, canela, changunga, etc., el de *chaqueta* y, desde luego, el *champurrado* y el de grano son otras tantas bebidas para el desayuno y la merienda y aún para los enfermos; el grano de esta gramínea, ya maduro, para hacer el pozole: el rojo, el blanco y el batido, para el que se pintan solas las cocineras de Quiroga; el grano del elote en sopas y cremas y en la repostería, y del

23

grano ya macizo, dorado y mezclado con piloncillo, se hace el *ponteduro*, un dulce muy gustado por los niños.

Aparte de que las hojas del maíz se utilizan para envolver algunos de los condumios aquí referidos, los "pelos" del elote también se usan en la preparación de té y "agua de uso" en los casos de padecimientos renales y "mal de orina". El maíz procesado industrialmente como aceite o miel también es frecuentado por la cocina michoacana.

En la tierra de mucho pescado, éste forma parte importante de la dieta de sus habitantes. De su mar frontero una gran variedad de especies se capturan; de sus lagunas o albuferas se obtienen ostiones y langostinos o *chacales* de gran tamaño y exquisito sabor, asi como fornidas y apetitosas langostas. De entre los recursos dulceacuícolas son muy de verse

Charales fritos

y saborearse las mojarras, truchas, *pejes reyes* o *charales*, bagres, *acúmaras* y el fino y famoso mundialmente pescado blanco de Pátzcuaro.

Además de los variados guisos que se estilan con las carnes de los semovientes comestibles que llegaron a América con los europeos, en

Flores

Día de Mercado

cuyas maneras de cocinarse puede apreciarse un aspecto del mestizaje cultural, las carnes de algunos de los animales de la tierra también son aprovechadas y aderezadas de diferentes formas. Entre los reptiles, por ejemplo, son de citarse la de las serpientes de cascabel, la de iguanas y garrobos, abundantes en la costa y en la Tierra Caliente; de entre las aves: patos, *huilotas*, *guajolotes*, codornices, etc.; asimismo se aprovecha, de muy buena manera, la carne del tejón, del armadillo, del "jabalí" o del venado, no sólo como alimento, sino en algunos casos como remedios por sus propiedades terapéuticas.

Hablar de la biota michoacana y de la multitud de usos que a ella se la da es tanto como el cuento de nunca acabar. Baste decir que de los vegetales autóctonos y de los aclimatados en las tierras frías, templadas y calientes se obtienen ópimos frutos; raíces y hojas que forman parte de la dieta local, o bien, raíces, tallos, hojas, flores y frutos con múltiples usos medicinales e industriales.

25

A partir del siglo XVI

Michoacán fue adquirien-do, sin perder sus prístinas raíces otra fisonomía, sobre todo por la influencia de la conquista espiritual llevada a cabo, fundamentalmente, por francis-canos y agustinos y luego el clero secular, cuya impronta se ve por todas partes.

Muchos antiguos asen-tamientos humanos desapare-cieron por la cruenta conquista que emprendió Nuño de Guzmán y por las epidemias que diez-maron a la población indígena durante el siglo XVI; otros fueron abandonados, pues sus habitantes presas del terror huyeron a los montes, otros más quedaron en sus lugares originales aunque con una población disminuida.

Vasco de Quiroga y algunos evangelizadores fran-ciscanos se preocuparon por reducir a los naturales a sus

Morelia: San Agustín

26

antiguos pueblos o a nuevas poblaciones, en donde bajo una nueva policía, bajo nuevos conceptos urbanísticos, los centros de población fueron adquiriendo la traza y fisonomía con la que ahora los miramos.

Así aconteció en Tzitzuntzan, corazón mismo del antiguo reino michoacano, Pátzcuaro y los pueblos de la región lacustre. Uruapan, refundada por fray Juan de San Miguel, y del oriente al poniente, para sólo citar unos cuantos sitios, se conservaron en vilo Zitácuaro, San Felipe, Tajimaroa, Tlalpujahua, Maravatío, Zinapécuaro, Ucareo, Charo, Araró, Cuitzeo, Copándaro, Huandacareo, Puruándiro, Tiripitío, Capula, Tupátaro, Cuanajo, Naranja, Tiríndaro, Zacapu, Chilchota, Jacona y camina caminando hasta la alejada Jiquilpan.

Al sur de Pátzcuaro, que fue la primera cabecera del

Morelia: San Francisco

27

amplísimo obispado de Michoacán, otros muchos pueblos indígenas subsistieron, y como los antes citados, han recibido secularmente los impactos del mestizaje; entre ellos, Santa Clara del Cobre, Tacámbaro, Puruarán, La Huacana, Tingambato y muchos otros en la Tierra Caliente, como Huetamo, San Lucas, Carácuaro, Nocupétaro, etc.

Los antiguos cúes
y adoratorios precolombinos desaparecieron para siempre, destruidos o abandonados. En el nuevo paisaje urbano, además de que las calles se tiraban a cordel, con lo que se dio un novedoso orden y concierto a las casas de las poblaciones, surgió, grande o pequeña, la plaza pública que a la vez se convertiría en el centro de comercio para celebrar el tianguis en los días de mercado, pero además, apareció una construcción sobresaliente

Tzintzuntzan: Ex-Convento

Angamacutiro

-modesta o grandiosa, pero siempre presente que sobrepuja por encima de los tejados o los techos de las habitaciones: el templo, que en muchas ocasiones tenía a su lado adosado el convento.

A veces, como es el caso del convento agustino de Santa María Magdalena de Cuitzeo, estas construcciones eran verdaderas fortalezas, casi inexpugnables, en las cuales, por su amplitud, podían guardarse alimentos para un largo sitio y, asimismo, dar refugio a la población constituida por los parroquianos o los feligreses más próximos.

En el caso de ese convento, como en el de muchos otros de los mismos agustinos o en algunos de los franciscanos edificados en tierras de frontera, resulta explicable su cons-trucción. No hay que olvidar que la fecha de su erección y los años en que se hizo la sección

29

más importante de su fábrica fueron los de la larga guerra chichimeca.

Por otra parte, casi todas las construcciones de esos años de evangelización que dejaron en Michoacán, tanto los *Ermitaños*, como los *Menores*, son grandiosas y sólidas.

Al paso de los siglos, muchos de estos sitios de antigua población indígena fueron creciendo y mestizándose resultando de todo ello una urdimbre social cada vez más variada y rica, dando lugar a una singular vida urbana con sus peculiares formas de identidad.

Algunos asentamientos se establecieron en parajes donde la población indígena era muy exigua o no existía, como es el caso de la actual capital de la entidad.

Cuitzeo

Morelia: Portal Allende

MORELIA

Esta ciudad, que es como la rosa de los vientos michoacana que apunta a todos los confines, se estableció en el año de 1541 en una larga loma de suaves declives que emerge dentro del valle conocido en el siglo de la conquista europea con el nombre de Guayangareo, por estar ubicado junto a un poblado indígena habitado por indios pirindas que recibía ese nombre. En esta loma, por disposición de don Antonio de Mendoza, primer virrey que tuvo Nueva España, se estableció la *Nueva Ciudad de Michoacán* el 18 de mayo del año precitado, siendo la tercera ciudad con ese nombre, pues que la primera había sido Tzintzuntzan y la segunda Pátzcuaro a donde el primer obispo de la amplísima diócesis michoacanense, don Vasco de Quiroga, trasladó la sede episcopal y con ella el gobierno civil.

No por mucho tiempo el establecimiento mendocino conservó nombre y rango, pues Quiroga, mediante algunas artimañas judiciales logró conservar para Pátzcuaro el rango de ciudad capitular, arrebatándole al establecimiento de la loma de Guayangareo el nuevo nombre y la categoría de ciudad, reduciéndola a la condición de pueblo.

Empero, los tozudos pobladores del pueblo de Guayangareo continuaron pleiteando con el señor Quiroga y a su muerte con la ciudad de Pátzcuaro, hasta que con el apoyo del segundo obispo lograron que la silla episcopal se trasladara a Guayangareo, la que además de haber recuperado su jerarquía de ciudad recibió, por disposición del rey don Felipe II, hacia 1578, el nombre de Valladolid que conservó hasta septiembre de 1828 en que por mandato de la

segunda Legislatura Constitucional de Michoacán y para
honrar la memoria del más
preclaro de sus hijos, don José
María Morelos y Pavón, recibió
el nombre actual.

Desde antes del traslado de
la capital diocesana los
franciscanos, primero, y los
agustinos después, fundaron
templo y convento que se
convertirían en las cabeceras de
sus respectivas provincias.
Asimismo, los esforzados
habitantes de la población, con
la ayuda de los primeros,
establecieron un colegio para los
niños españoles e indígenas,
dotándolo de su propio
patrimonio el que pasó a formar
parte del Colegio de San Nicolás
Obispo, fundado por Quiroga, al
trasladarse a Valladolid en 1580
fusionándose con el de San
Miguel, que fue el nombre que
tuvo el de Guayangareo.

Los primeros años de vida
de esta ciudad, originalmente de

Virrey de Mendoza

Mascarón

34

españoles, fueron difíciles y penosos hasta que sus pobladores, en la última década del siglo de la conquista, obtuvieron del virrey, conde de Monterrey, que les concediera para la construcción de ella y demás servicios un millar de cabezas de familia indígenas, a las que se les otorgaron solares para su establecimiento. De esta manera surgieron en la urbe los diversos barrios indígenas.

La ciudad comenzó a crecer, sin romper con ello la impecable traza urbana que le dieron entre 1541 y 1545 Antonio de Godoy y el alarife Juan Ponce, la que aún puede apreciarse por quienes viven en ella y la visitan.

Sobre este entramado urbano que es, sin duda, el primer gran monumento histórico con que cuenta Morelia, se fueron levantando las moradas de los habitantes de la ciudad.

Sirve de eje principal, oriente-poniente, la actual Avenida Francisco I. Madero que se bifurca -comenta Justino Fernández-, "por decirlo así, frente a los bellos arcos del Acueducto... No existe en la ciudad un eje preponderante norte-sur, si bien las Avenidas Morelos Norte y Morelos Sur sirven como tal." Y agrega otra reflexión muy de tomarse en cuenta: "Si después de recorrer la calzada que del Parque (sic) Cuauhtémoc conduce al Parque Juárez, penetra uno de nuevo a la ciudad por la calzada Benito Juárez, de trazo monumental, se tiene la sensación de estar en una ciudad de primer orden, por la importancia señorial de sus paseos y avenidas."

El virrey Mendoza dispuso que al trazarse la Nueva Ciudad de Michoacán se señalaran solares para la Catedral, Casa Episcopal, Conventos, Templos,

Morelia: Fuente y Acueducto

Plaza de los Martires y Catedral

Casas Consistoriales, Carnicería
y las de los vecinos que la
fundaran, lo que asi se hizo.
Solamente que como conse-
cuencia de la disputa con el
obispo pocos de los solares
fueron fincados con unas
cuantas casas de los nuevos
habitantes.

Morelia: San Francisco

CIUDAD EN CRECIMIENTO

Finalmente, al ordenarse el traslado de la Catedral el edificio destinado a ésta se construyó en muy corto tiempo y con gran rapidez, utilizándose para ello, al igual que en las demás edificaciones, materiales pobres; una poca de piedra, adobe, madera y tejas, con la excepción de los conventos de San Agustín y San Francisco que eran de cal y canto, como los decribió hacia 1585 en su diario de viaje fray Alonso Ponce, visitador que fue de los franciscanos.

El templo y casa de los agustinos en Morelia cuya fábrica se inició hacia 1550 es, por decirlo así, la más antigua construcción sólida de la ciudad. La iglesia actual se terminó de construir durante el priorato del P. Diego Basalenque (1626), con excepción de la torre que es de finales del siglo XVII, por lo que el plateresco advertible en la fachada y portada lateral resulta tardío. Parte del claustro y la escalera fueron construidos por fray Jerónimo Marín. La antigua huerta del convento fue dividida al abrirse una calle de la ciudad en 1859. En lo que fue cementerio del templo se construyó, ya en el Porfiriato, el mercado Comonfort que ahora, sin haber perdido todas sus arcadas, alberga un amplio espacio jardinado, una especie de plaza interior.

Este monumento agustino que tuvo la advocación de Santa María de Gracia, tiene en su templo numerosas reliquias, entre ellas una escultura que representa a la Virgen del Socorro, regalo que hizo a esta Provincia Santo Tomás de Villanueva cuando éste fue general de la Orden; en el altar lateral del lado de la epístola, bajo sendos retratos, se conservan los cuerpos de dos de sus grandes evangelizadores: el citado Basalenque y fray Juan Bautista Moya, apóstol de Tierra Caliente, cuya vida misionera está preñada de historias maravillosas.

En el caso de los franciscanos es indudable que entre 1530 y 1531, antes de que se hiciera custodia a Michoacán (1536), fundaron convento y templo con el nombre de San Buenaventura. Primero, dice el cronista franciscano Beaumont, se levantó una capilla y luego el convento. La iglesia que ahora vemos es de fines del siglo XVI, concluida al iniciarse la siguiente centuria, pues en su portada se ve la fecha de 1610. Esta portada, como la iglesia de los agustinos, es también de un plateresco tardío. Mas recordemos que en la región de Michoacán la arquitectura plateresca se prolonga, en templos y conventos hasta ya bien entrado el siglo XVII, como bien lo ha explicado don Manuel Toussaint.

Morelia: Casa de las Artesanías

40

El edificio en el que fue el convento franciscano se conserva en parte ya restaurado, y en él se aloja la Casa de las Artesanías con numerosas salas y salones destinados a la exhibición y venta del variado arte popular de Michoacán.

El aumento de la población y su concomitante mejoría económica, así como los materiales de construcción tan a la mano, hicieron posible que la urbe creciera no sólo físicamente, sino, además, que sus construcciones cada vez fueran mejores, advirtiéndose ya en sus edificios principales amplitud, lujo y boato.

De esta manera, en la última década del mismo siglo XVI se edificó en la orilla norte de la pequeña ciudad el primer convento de religiosas, las monjas catarinas, y en otro lugar, también ubicado en el

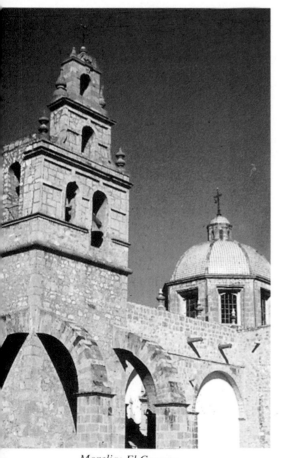

Morelia: El Carmen

41

norte, se inició la fábrica de la iglesia y convento de los PP. carmelitas descalzos, obra sólida y magnífica terminada a principios del siguiente siglo, ocupada en la actualidad, menos el templo, por la Casa de la Cultura y el Instituto Michoacano de Cultura.

Un poco más tarde arribaron los mercedarios quienes fundaron templo y convento en un amplio predio que compraron hacia el poniente de la breve ciudad. Su templo posee una sobrefachada formada por gruesos pilastrones pesados, como de un retablo churrigueresco "que hubiese salido a alinearse delante de la puerta."

Los padres de la Compañía de Jesús que llegaron a Valladolid con el Colegio de San Nicolás Obispo, pronto pusieron casa aparte. A fines del siglo XVII y a principios del siguiente edificaron su templo y colegio definitivos, que constituyen otros dos grandiosos monumentos arquitectónicos de la ciudad; la iglesia de La Compañía que alberga desde 1927 la Biblioteca Pública y el ex-colegio de San Xavier, que después de haber tenido numerosos destinos desde la expulsión de los jesuitas en 1767, lleva ahora el nombre de Palacio Clavijero, como un homenaje al abate don Francisco Xavier Clavijero que enseñó en él, alojando algunas oficinas del gobierno estatal, entre ellas las de la Secretaría de Turismo de Michoacán.

El Palacio Clavijero posee una grande y solemne fachada, toda construida de piedra sillar, coronada de jarrones que forman almenas; la portada, dice Toussaint, "es sobria, como corresponde a un colegio de severidad monástica; así es su claustro también, de elegantes arcadas de medio punto en su planta baja y con los arcos altos cerrados por muros en que se abren ventanas.''

El templo forma el límite del monumento; su fachada se prolonga en un coronamiento rematado en piñón, que va a ser caractarístico de muchas otras fachadas religiosas de la ciudad, sus adornos que la cubren nos recuerdan mucho a los de la fachada del templo de Santa María Magdalena de Cuitzeo.

Palacio Clavijero

43

Morelia: Catedral, interior

LA CIUDAD EN MARCHA

Puede asegurarse que durante la época colonial la ciudad tuvo dos grandes momentos de expansión reflejados en sus construcciones monumentales.

Primeramente el siglo XVII fue testigo del inicial estirón de la urbe, el que se marca no sólo por los pocos edificios que se han mencionado, sino, fundamentalmente, por el comienzo de la construcción de su segunda catedral que es la que actualmente puede mirarse.

En efecto, ya por los años veintes de la centuria primeramente mencionada era notorio que la primera Catedral, edificio endeble como ha quedado dicho, no sólo era insuficiente para el culto por el aumento de los habitantes de Valladolid, sino que además, por su deficiente construcción y por el incendio que había sufrido la sacristía a los cuatro años de haberse trasladado la iglesia a la nueva sede, amenazaba ruina. Desde entonces el cabildo catedral inició las gestiones para la construcción de un nuevo templo máximo y a pesar de que se presentaron algunos proyectos ellos no corrieron con fortuna.

Por fin, en la década de los años cincuentas de aquel siglo se aprobó el proyecto que presentó el arquitecto, muy posiblemente de origen italiano, Vicencio o Vicente Barrochio o Barroso de la Escayola, y el día 6 de agosto de 1660, día de la Transfiguración, se colocó la primera piedra de la nueva Catedral en la manzana inmediata al norte de donde se encontraba la primitiva iglesia.

Barroso, arquitecto conflictivo y tormentoso, dirigió la obra hasta su muerte acaecida casi al finalizar el siglo sin verla concluida, pues ella quedó terminada en 1744, cuando ya la otra había sido derruida.

Bien mirado, este edificio que es el monumento máximo de la urbe, influyó notablemente en las construcciones, tanto eclesiásticas como civiles, que a partir de entonces se levantaron en la ciudad, en los que campea el peculiar estilo barroco contenido, equilibrado y sobrio que caracteriza a las edificaciones de Morelia que se hicieron, sobre todo, a partir del siglo XVIII, tan alejadas del exultante barroco mexicano de otras ciudades del país.

La esbeltez de sus torres, únicas entre todas las de las catedrales de América Hispánica, se logró gracias a la composición de sus dos últimos cuerpos que dan la sensación de

Morelia: Catedral, pila bautismal

Morelia: Catedral, órgano mayor

una construcción que se proyecta hacia el cielo, llenas de gracia y ligereza. Con todo, aunque no lo parezca, estas torres son menos altas que las de las catedrales de Puebla y México.

A pesar de los expolios y descuidos que ha sufrido esta Catedral, aún conserva muchos tesoros artísticos entre pinturas, obras de orfebrería y lapidaria, platería como la pila bautismal de su bautisterio o el manifestador de su altar mayor; casullas, capas pluviales, cortinajes, etc.; cuenta, entre sus varias reliquias, las momias de los mártires San Pío y San Cristóbal que se muestran al público dentro de sus finas urnas de cristal.

Posee esta Catedral un monumental órgano, que con el nombre de ''San Gregorio

Magno'' fue inaugurado el mes de octubre de 1905 con una serie de conciertos que dieron los mejores organistas que había en el país. Actualmente, desde hace tres décadas, este instrumento es utilizado en los festivales internacionales de órgano, que se celebran año con año durante el mes de mayo, al que concurren como ejecutantes celebridades de todo el mundo.

Morelia: Catedral, detalle del órgano mayor

Muy recientemente se han iniciado una serie de obras de conservación del benemérito edificio ya que éste, a través de los años, como consecuencia principalmente de las inclemencias del tiempo, ha sufrido algunos deterioros.

Caminar por las calles de Morelia mirando sus edificios es descubrir esas dos etapas de construcción de su época

Morelia: Catedral, coro

Morelia: Catedral, coro

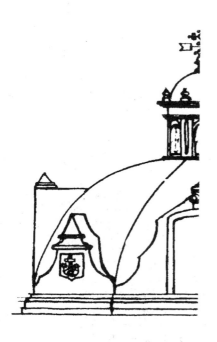

virreinal, y aun las de su siglo XIX.

Frente a ese gran monumento que es el puente arquitectónico y estilístico tendido entre dos centurias estaba el magnífico edificio de su Colegio Seminario, ahora Palacio de Gobierno, cuya fábrica quedó concluida en 1770.

Al lado oriente de la Catedral se ubica la Plaza "Melchor Ocampo" dedicada a este prócer liberal, y al poniente la de "Los Mártires", que es la principal, bordeada por tres de sus puntos cardinales por otros tantos portales, en los cuales, como en los otros dos más que tiene la vieja ciudad, se advierten hermosas y sólidas construcciones de los siglos XVII, XVIII y XIX que en el pasado fueron las mansiones de algunas de las familias más importantes de aquella urbe.

Aquí, en el portal que por el viento sur limita a la Plaza Mayor, se yergue majestuoso un edificio del siglo pasado (1885), construido por don Guillermo Wodon de Sorinne -quien dejó en Morelia una interesante impronta en su arquitectura-, para albergar al Palacio de Justicia en una parte del predio que desde el siglo XVI ocuparon las Casas Reales. En su parte posterior, ahora bien comunicada con el mencionado Palacio, está una hermosa construcción, barroca ella, que fue la Alhóndiga; más tarde una ampliación de la antigua cárcel y ahora sede de los tribunales civiles. La ex-Alhóndiga posee una bella fachada ornamentada con elementos churrigueras.

A un paso, hacia el sur, frontero al ala poniente de la arquería decimonónica de lo que fue el mercado de San Agustín, un magnífico edificio con una fachada en la que ya se advierten las influencias del neoclásico.

Ex-Alhóndiga

50

Portal Matamoros

Éste estuvo ocupado desde fines del siglo XVIII y todo el siguiente por uno de los más famosos mesones que tuvo la ciudad.

El lado poniente de la Plaza Mayor se halla limitado por el Portal Matamoros, llamado así porque en él fusilaron en febrero de 1814 al héroe insurgente don Mariano Matamoros. En cada extremo de este soportal sobresalen dos bellos edificios dieciochescos que han sufrido modificaciones, y en el medio de ellos la fachada de otro que fue casa de los Michelenas, ahora convertida en sala cinematográfica. Al sur, al terminar este portal, calle de por medio con el costado poniente del Palacio de Justicia, otra regia mansión, la casa que fue del magnate Isidro Huarte, suegro de don Agustín de Iturbide, que alberga desde 1915 al Museo Michoacano fundado en 1886.

51

Museo Michoacano

Museo Michoacano: Detalle de la escalera

Patio del Colegio de San Nicolás

Una cuadra más al poniente del Museo Michoacano otro gran edificio dieciochesco, todo de sillería, es la residencia de la autoridad municipal.

Por la avenida principal, la antigua Calle Real, Calle Nacional y ahora Avenida Madero, una cuadra al poniente de la Plaza de Armas, que así llaman también a la Plaza Mayor, está un edificio de armoniosa fachada del siglo XIX con un hermoso patio de sorprendente gracia e influencia italiana, ocupado por el Colegio de San Nicolás de Hidalgo, continuador del de San Nicolás Obispo fundado por don Vasco de Quiroga en el siglo de la conquista.

Recorriendo hacia el oriente la avenida principal de esta ciudad, las sorpresas del viandante se suceden unas a otras hasta llegar, camina caminando, a la Plaza de Villalongín en donde la calle se abre como un gran abanico limitado en parte por el bello acueducto reconstruido totalmente entre 1785 y 1789 por la munificencia del señor obispo fray Antonio de San Miguel.

La perspectiva que se tiene en esta parte de la ciudad es de una belleza llena de sobriedad. Aquí, en la parte más alta del acueducto hay tres grandes arcos. Atravesando el arco central se despliega una larga calzada toda de piedra labrada, mandada construir en 1732 por el obispo Escalona y Calatayud; es la calzada de Guadalupe o de Fray Antonio de San Miguel que desemboca en el dieciochesco Santuario de Nuestra Señora de Guadalupe. Éste posee una sobria portada con su remate en forma de piñón. Su interior, profusamente decorado con molduras de barro cocido, doradas y pintadas, fue hecho por el artesano tlalpujahuense don Joaquín Orta y estrenado el 11 de diciembre

Acueducto (S. XVIII)

Calzada Fray Antonio de San Miguel

55

Fachada del Santuario de Guadalupe

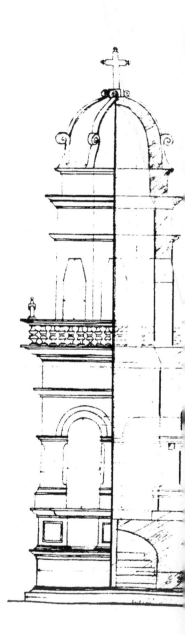

Santuario de Guadalupe (interior)

Santuario de Guadalupe (interior)

de 1915, por lo que no corresponde a la época de la construcción del templo. También aquí, en 1862, se dio sepultura a los restos mortales de don Mariano Michelena, autor del primer plan de independencia y miembro del Poder Ejecutivo Nacional a la caída de su paisano Iturbide.

Al lado del templo se encuentra el edificio, ahora ocupado por la Facultad de Derecho de la Universidad Michoacana, que fuera el convento de los dieguinos. Éste, a lo largo del tiempo ha sufrido algunas adaptaciones y modificaciones. Ahora ostenta una fachada rehecha en la última década del siglo XIX. En ésta y en la escalera se nota la influencia de Sorinne. A su lado la Universidad Michoacana ha construido uno de sus teatros que lleva el nombre del filósofo michoacano Samuel Ramos.

Aquí también, frontero a

Escuela de Jurisprudencia

58

este conjunto arquitectónico, se abre el espacio a una amplia glorieta, en cuyo centro se erigió por suscripción popular el monumento ecuestre dedicado al Generalísimo José María Morelos y Pavón.

Nuevamente el paseante se topa con los robustos arcos del acueducto y al atravesarlos se halla frente al Bosque Cuauhtémoc, el antiguo Bosque de San Pedro, bordeado ahora, en parte, por las escuelas universitarias del área de la salud. En uno de los lotes de este bosque, frente al acueducto, se ha establecido el Museo de Arte Contemporáneo que lleva el nombre del distinguido grabador y pintor michoacano Alfredo Zalce. En otro de sus lotes, frente a la Escuela de Odontología, está el Museo de Historia Natural que se ha nombrado "Dr. Manuel Martínez Solórzano", como homenaje a uno de los más conspicuos naturalistas michoa-

Monumento ecuestre a Morelos

Museo de Arte Contemporáneo "Alfredo Zalce"

Auditorio Samuel Ramos

Museo "Dr. Martínez Solórzano"

Bosque Cuauhtémoc

Templo de Las Monjas

canos de fines del siglo XIX y principios del actual.

El 3 de mayo de 1738, como puede verse en un grande e interesantísimo lienzo anónimo que se conserva actualmente en el Museo Michoacano, las religiosas catarinas abandonaron su primitivo convento para dirigirse a ocupar el nuevo, cuya iglesia da a la Calle Real.

Las fachadas y puertas de este templo, popularmente llamado de "Las Monjas", son dos de carácter barroco con sus clásicos remates en forma de piñón, su cúpula esbelta y su torre, como todas las morelianas, parece un dardo dirigido al cielo. Anexo estaba el nuevo y amplísimo convento en las que las dominicas habitaron hasta su exclaustración al aplicarse las Leyes de Reforma.

En una parte de lo que fue el convento, en los años ochentas del siglo pasado, el arquitecto Adolfo Tremontel construyó el edificio contiguo al templo, que ahora ocupa el Palacio Federal. Por los mismos años, este mismo arquitecto edificó, a un costado del templo de San José, un espléndido inmueble para albergar el Colegio Seminario, ocupado actualmente por la Escuela Preparatoria "Pascual Ortiz Rubio".

Cuando las monjas catarinas desalojaron su primitiva casa, el señor obispo Matos Coronado la adquirió para que en aquel predio se edificara el Colegio de Santa María Rosa, la limeña, como un conservatorio para niñas, y más tarde su sucesor, don Martín de Elizacoechea, concluyó la obra material y dispuso la construcción de su iglesia; el templo de Las Rosas poseedor de unos de los pocos retablos barrocos que quedaron en los templos de la ciudad después de la fiebre neoclasicista que inoculó a nuestro siglo XIX.

Templo de Las Rosas

Logia de Las Rosas

Ya restaurado el edificio de lo que fue el colegio, que tiene una hermosa loggia que mira hacia el jardín contiguo, funciona ahora, como institución laica, el Conservatorio de Las Rosas.

Todo el conjunto, templo, colegio, casas y jardín que lo limita, en el que se han erigido sendas estatuas sedentes a don Vasco de Quiroga y a don Miguel Cervantes Saavedra, forma una irreprochable unidad arquitectónica, sin duda uno de los más bellos rincones con que cuenta la ciudad.

Hacia el sur del antiguo convento franciscano se encuentra el templo de Capuchinas, única construcción que resta de lo que fue el convento capuchino de las indias cacicas.

Su templo, dedicado a la Virgen de Cosamaloapan, quedó concluido en el meridiano del siglo XVIII; su fachada termina con un gran remate apiñonado, típicamente moreliano, cubierto de relieves ornamentales, su barroca torre "cuya demencia de altura raya en desproporción", diría Toussaint, es única en la ciudad.

Otras muchas construcciones de la urbe contribuyen para que la capital de Michoacán tenga ese aspecto de monumentalidad que la hace distinguible entre las ciudades mexicanas, y que la ha llevado a convertirse en Patrimonio Cultural Mundial.

Además de los museos ya mencionados
tiene la ciudad otros más. Está, al lado oriente del jardín de Las Rosas, el Museo del Estado que posee buenas colecciones etnográficas referentes a la entidad; próximo al jardín del Carmen y frontero a la casa que

Capuchinas

64

que se exhiben piezas arqueológicas y una excelente colección
de máscaras; en la Casa Natal de
Morelos, además de la biblioteca
pública que en ella existe, hay un
pequeño museo dedicado al héroe
y en la Casa de Morelos funciona
otro museo histórico, y ella aloja,
además, un rico repositorio docu-
mental.

Hacia el sur del mencio-
nado bosque Cuauhtémoc, siguiendo por la Avenida Ven-
tura Puente, entre una amplia arboleda, se han construido
varios edificios que hospedan
diferentes centros dedicados al
fomento de algunas actividades
de caracter cultural. Allí está
una biblioteca pública bien
surtida que tiene anexa una
sección infantil; más allá se
encuentra el planetario cuyas
funciones regulares son los fines
de semana; acá, frente a la
calzada ''Alfredo Maillefert'' en
donde se han erigido algunos
monumentos a poetas, músicos y

Palacio Federal

65

Casa de la Cultura

escritores michoacanos, se ha edificado el orquidario, donde se cultivan cientos de variedades de orquideas que, por lo mismo, se las ve florecer todo el año; en el extremo sur están el Centro de Convenciones de Michoacán y el Teatro ''José María Morelos'', el más moderno de la urbe.

Ya que de teatros se habla ha de contarse que hay varios en la ciudad. El más antiguo coliseo edificado hacia 1830, recibió en 1861 el nombre de ''Ocampo'', con el que actualmente se le conoce. A lo largo de su centenaria vida ha recibido numerosas restauraciones. A un lado de él, calle de por medio, está el ''Corral de la Comedia''. No lejos de este teatro, casi frontero a la doble fachada del templo de Las Rosas, está la Sala Universitaria ''José Rubén Romero''.

Dentro del área de la llamada ''Ciudad Universitaria''

Centro de Convenciones

Gran Hotel

Planetario

67

Orquidario de Morelia

Zoológico de Morelia "Benito Juárez"

Centro Cultural Universitario

existe una unidad de usos múltiples en la que se suelen presentar conciertos y otros espectácculos. Además, también formando parte de la Universidad Michoacana, existe, frente al Colegio de San Nicolás de Hidalgo, el ''Centro Cultural'' que entre sus instalaciones cuenta con un foro para audiciones, conciertos y representaciones dramáticas.

Por otra parte, aunque la Casa de la Cultura no tiene un teatro formal, posee por su amplitud numerosos espacios en los que se escenifican obras teatrales, se dan audiciones y conciertos o se presentan espectáculos de danza y bailete.

La ciudad cuenta también con un interesante y variadísimo zoológico que ocupa una amplia área del Parque Juárez. Leones, panteras, elefantes, tigres, linces, osos, hipopótamos, rinocerontes, cebras, jirafas, monos, caimanes y cuanto hay

Hotel de La Soledad

pasan lista en este lugar.

Al sur del zoológico, sobre una larga loma desde donde se tiene una amplia visión panorámica de la ciudad y su entorno, se asienta el antiguo pueblo de Santa María de Guido. En los suburbios de este pueblo se ha construido el más reciente edificio del Colegio Seminario, y a su lado la moderna planta potabilizadora que en parte surte de agua a la ciudad.

La capital michoacana tiene para hospedar a sus visitantes un buen número de hoteles de todas las categorías. Asimismo, para cumplir en parte con una de las obras de misericordia, cuenta numerosos restaurantes en los que se pueden saborear los exquisitos platillos regionales y los de la llamada ''cocina internacional''.

Ex-Convento de Cuitzeo, (exterior)

CAMINOS DE MICHOACAN

Por los treinta y dos rumbos de la rosa de los vientos moreliana llegan y parten caminos de y a todos los confines. Para ello existen el ferrocarril -que abrió las puertas de la ciudad desde el año de 1883-, buenas y modernas carreteras y un no lejano aeropuerto internacional.

Desde la ciudad de Morelia, por la amplia red caminera de Michoacán, se puede viajar a cualquier rumbo de la entidad, lo que permite recorrer el estado desde las tierras frías o templadas hasta la tórrida Tierra Caliente y desde allí pasar a las tierras del litoral, en donde una carretera costera recorre en su desarrollo la pintoresca y variada costa, enlazando a la vez los estados de Guerrero y Colima.

Algunas interesantes poblaciones y lugares de recreo quedan, por carretera, cercanos a Morelia.

Para los amantes del arte colonial,
a muy poca distancia de la ciudad, por la antigua carretera al balneario de Cointzio -famoso por su manantial hidrotermal-, por una desviación se llega al pueblecito de San Nicolás Obispo, éste cuenta con una pequeña iglesia del siglo XVIII guardiana de un interesante retablo churrigueresco.

Por ferrocarril o por la nueva carretera a Pátzcuaro se llega al pueblo de Tiripitío, en donde existe una sólida construcción agustina del siglo XVI, en la que aquellos frailes establecieron la primera

73

Casa de Estudios Mayores que hubo en la tierra firme americana. En ella enseñó el célebre humanista español fray Alonso de la Veracruz. Actualmente el inmueble, que pertenece a la Universidad Michoacana, aloja un centro de estudios históricos con documentación sobre la historia de Michoacán traída de los archivos españoles.

Hacia el norte, casi inmediato a la capital michoacana, está el antiguo pueblo de Tarímbaro, famoso por el pulque que allí se elabora. También es muy de verse una interesante iglesia y convento construido por los evangelizadores franciscanos en el siglo XVI, ahora administrado por el clero secular, en donde se venera una imagen de la Virgen de la Escalera y un Señor crucificado, cuya escultura muy antigua está hecha con caña de maíz.

Más al norte, siguiendo por la carretera Morelia-Salamanca, después de recorrer una larga calzada construida en la segunda mitad de la pasada centuria sobre el Lago de Cuitzeo, se encuentra el viajero con la breve ciudad de este nombre que es poseedora del recio convento agustiniano de Santa María Magdalena del que se ha hecho alguna referencia, cuya iglesia tiene una de las más bellas portadas platerescas en donde la mano indígena de los canteros dejó imperecedera huella, como puede verse en la talla de los relieves.

Este templo tiene, entre sus joyas, una barroca sillería en el coro y uno de los más antiguos órganos que quedan en Michoacán. El ex-convento está bajo el cuidado del INAH.

En esta población, también famosa por su pulque, los pescadores lugareños ofrecen, en diferentes guisos, el *peje rey* o *charal* de muy buen sabor que se pesca en la laguna.

Cuitzeo, lago

Cuitzeo, fachada

Cuitzeo, claustro

No lejos de la población de Cuitzeo está el pueblo de Copándaro en donde los agustinos erigieron otro convento y templo de menor importancia que el de la cabecera.

Por diferentes testimonios arqueológicos puede asegurarse que la ribera del lago estuvo densamente poblada en los tiempos prehispánicos. Se han hecho hasta la fecha numerosas expediciones arqueológicas con buenos resultados y, en especial, se ha trabajado recientemente en Huandacareo, a pocos kilómetros de Cuitzeo, en donde ha quedado al decubierto una importante zona ceremonial prehispánica que vale la pena conocer.

Charo, interior claustro

Otros dos conventos agustinos: el de Charo, muy cercano a Morelia, y el de Ucareo, más alejado, también construidos en el siglo XVI, con sus respectivos templos, ahora ya bajo la administración del clero secular, son otras tantas joyas de la arquitectura colonial que deben visitarse.

En Charo, población y tierras que pertenecieron al inmenso señorío que adquirió para sí Hernán Cortés, los *Ermitaños* edificaron un sólido convento con su iglesia. En su claustro se conservan, pintadas al temple las genealogías de la orden. En una de sus celdas moró y escribió incansablemente el virtuoso padre fray Diego Basalenque, y en otra, allá por 1628, fray Miguel de Guevara que escribió uno de los más hermosos sonetos de la lengua castellana, aquel que empieza:

No me mueve, mi Dios, para quererte
el cielo que me tienes prometido
ni me mueve el infierno tan temido
para dejar por eso de ofenderte.......

Cuitzeo, patio

Además, la población de Charo se encuentra en la "Ruta de la Independencia", pues por allí, en octubre de 1810 al salir de Valladolid, pasó Hidalgo conduciendo la hueste insurgente, y a poco andar se encontró con Morelos.

El convento e iglesia de Ucareo es una pieza arquitectónica de gran interés por su emplazamiento, diseño y por los elementos decorativos que lo ornan. Hay la leyenda de que este convento lo construyeron en una noche los ángeles del Cielo.

Los laboriosos habitantes de Ucareo han hecho con el cultivo de la tierra un importante centro frutícola que anualmente tiene una rumbosa feria de la fruta, la que además de exportarse se envasa en forma de conservas.

Zinapécuaro, exterior de la iglesia

Ucareo

No lejos de Morelia,
a menos de 50 kilómetros, se
halla la ciudad de Zinapécuaro
en donde se conserva, sobre un
curioso emplazamiento que da la
impresión de haber sido un
grandioso adoratorio indígena,
lo que fuera el templo y convento
que los franciscanos construyeron en el siglo XVI. El
claustro tiene gran parecido con
otro convento de los mismos
franciscanos: el de Erongarícuaro.

Muy cerca de Morelia,
sobre la carretera que desde
fines de la cuarta década de
nuestro siglo la comunica con
Guadalajara, hay una pequeña
desviación que conduce a
Capula, pueblo de afamados
ceramistas.

79

Ucáreo: Interior del templo

Ucareo: Exterior del templo

Zinapécuaro, plaza principal

Alfarería de Capula

Alfarero de Capula

81

Vista del Lago de Pátzcuaro

LA CIUDAD DEL LAGO

En menos de una hora, saliendo de la capital michoacana por una moderna y amplia carretera, el viajero puede llegar a una de las ciudades más típicas del estado: PATZCUARO.

En el trayecto entre ambas ciudades hay algunos lugares interesantes. Primeramente Tiripitío del que ya se ha dado cuenta, más adelante la pequeña población de Lagunillas cuna de buen ganado de lidia. Más adelante, muy inmediato a Lagunillas, el pintoresco pueblo de Huiramba.

Cuando la carretera se levanta y el viajero puede ver al fondo del paisaje la línea azul del lago, se marca una desviación que lleva a dos pueblecitos: Tupátaro y Cuanajo. El primero tiene una vieja iglesia del siglo XVII con un bellísimo artesonado pintado en el siglo XVIII, todo muy de mirarse; el segundo es un interesante centro artesanal en el que sus habitantes se dedican a labrar la madera en forma de muebles. Imaginación y destreza es su secreto.

Interesante excursión es llegar a Pátzcuaro
y desde aquí circunvalar el lago de ese nombre visitando una serie de pueblos, villas y ciudades como Huecorio, San Pedro Pareo, Erongarícuaro que tiene un ex-convento franciscano del siglo XVI que estuvo bajo la advocación de la Asunción, en donde lo más notable es la portada de la iglesia de un plateresco sobrio, con arco de medio punto y alfiz ornamentado con grandes conchas; San Jerónimo Purenchécuaro, Santa Fe de la Laguna, en donde funcionó

Tiripitío

Erongarícuaro

Tzintzuntzan, Yácatas

el famoso hospital-pueblo fundado por don Vasco, pasando por la suave playa de Chupícuaro; Quiroga, interesante centro artesanal; Tzintzuntzan, la antigua capital de los tarascos que tiene muchas cosas que mirar, entre ellas una importante zona arqueológica, así como la antigua construcción franciscana con sus dos interesantes capillas abiertas, una de ellas, la de San Camilo, cubierta hoy por otra capilla posterior, quizás sea la parte más antigua del monumento, se localiza a un lado de la iglesia mayor frente al enorme e imponente atrio en donde se hallan los vetustos olivos que la tradición dice haber sido plantados por la mano de Vasco de Quiroga; la otra, llamada del Hospital se localiza cerca del templo del Tercer Orden, revela en su arquitectura una modalidad plateresca, y, sin embargo, está fechada en 1621.

No lejos de la ciudad de

Tzintzuntzan, pues que tiene tal rango, por una desviación que acerca al lago, hay otra zona arqueológica: Ihuatzio, en pleno descubrimiento y restauración que realizan arqueólogos del INAH.

La historia de Pátzcuaro
está íntimamente ligada al Ilustrísimo y Reverendísimo primer Obispo de Michoacán, licenciado don Vasco de Quiroga, ya que él tomó la decisión de trasladar su diócesis de la ciudad de Tzintzuntzan, considerada como la Ciudad de Michoacán, a Pátzcuaro, lugar al que por una artimaña de abogado le dio el rango de Ciudad de Michoacán argumentando que era un barrio de la primera, y que por lo tanto uno y otro sitio eran lo mismo.

Cuanajo

El señor Quiroga tomó posesión legal de su iglesia el 6 de agosto de 1538 en Tzintzuntzan, y al día siguiente, 7 de

86

Sta. Fe de la Laguna

Templo de Tupátaro

87

Templo de Tupátaro, interior

Tupátaro, detalle del artesonado

agosto, en Pátzcuaro, donde ya se había comenzado a edificar la Catedral de San Salvador que más tarde fue el templo de los PP. de la Compañía de Jesús. No hubo, pues, iglesia catedral en Tzitzuntzan , canónicamente la paupérrima iglesia de San Francisco, no de Santa Ana, fue catedral algún tiempo, mientras que la iglesia que se edificaba en Pátzcuaro, bajo la advocación de San Salvador, estaba útil para celebrar en ella los santos oficios.

En Pátzcuaro el señor obispo estableció su Catedral provisional en el templo, modesto él, de San Salvador. Fundó el Hospital de Santa Marta, que con el tiempo había de desaparecer a grado que hoy es difícil encontrar rastro de él, la iglesia que es lo que queda ha sufrido varias vicisitudes, y su Colegio de San Nicolás Obispo en donde él residía con su rica biblioteca puesta al servicio de los estudiantes y profesores.

Con el Hospital de Santa Marta hubo en el siglo XVI otros dos más, el establecido por los franciscanos y el fundado por los agustinos, de los cuales tampoco queda rastro.

La iglesia que fue del Hospital de Santa Marta, precísamente calle de por medio con la Catedral de San Salvador, quedó como parroquia; luego fue erigida en Santuario para la imagen de Nuestra Señora de la Salud, que don Vasco había mandado hacer especialmente a los indios de Pátzcuaro para este hospital. Cuando la prodigiosa imagen fue trasladada a la basílica, el templo volvió a ser parroquia, y así se le conoce hoy, indistintamente con este nombre o con el de Sagrario. Además, cuando fue fundado el convento de monjas catarinas, edificado en los terrenos anexos a la iglesia, ésta sirvió de templo conventual a las religiosas.

A lo largo del tiempo el

Pátzcuaro: Mural de O'Gorman

Pátzcuaro: Biblioteca Pública

90

Pátzcuaro: Portal plaza Don Vasco

Pátzcuaro: Plaza Don Vasco

Antiguo Colegio de San Nicolás Obispo

templo ha sufrido numerosas modificaciones. En su interior, lo único que llama la atención es la capilla lateral, "de planta en forma de rectángulo, con una pequeña cúpula sobre tambor y pechinas; su pequeña tribuna del lado del Evangelio y, en el ábside, cubriendo el hueco que se forma como nicho, un retablo churrigueresco, único en su estilo que se conserva en Pátzcuaro", afirma don Manuel Toussaint.

El actual edificio del Colegio de San Nicolás Obispo no es el original, aun cuando conserva en muchos aspectos sus rasgos primitivos. La portada que corta diagonalmente la esquina, parece ser ya del siglo XVIII, en tanto que el patio, "parte principal del monumento", sí denota su antigüedad, aunque "los arcos no se hicieron sino en fecha posterior y sobre los pilares rectángulares se tendían vigas que servían de trabes para sostener los morillos del tejado. Alrededor del patio se abren las diversas estancias destinadas a la labor docente y administrativa del colegio y a la vivienda de los estudiantes, pues consta por las constituciones que éstos hacían vida claustral. La capilla tenía la advocación de San Ambrosio." Actualmente el inmueble aloja al Museo de Artes Populares. La visita a éste no sólo es instructiva, sino una de las más gratas que pueden realizarse en cualquier ciudad del país. Hace pocos años en la parte posterior de este edificio se han descubierto y reconstruido algunos vestigios de edificaciones prehispánicas, visita obligada a quien acude a este histórico inmueble.

La única institucion religiosa derivada de Santo Domingo que existió en Pátzcuaro, fue el convento de monjas catarinas, establecido a mediados del siglo XVIII en el sitio que pertenecía a lo que fue el Hospital de Santa Marta. La iniciativa para la fundación de este convento partió ''de uno de los seres más entrañablemente ligados a la historia religiosa de Pátzcuaro'', doña Josefa de Nuestra Señora de la Salud y Gallegos, llamada en su tiempo ''La Beatita de Pátzcuaro'', conocida después de su muerte con el apelativo de ''La Abeja de Michoacán'', que le dio su propio confesor, el padre don José Antonio Eugenio Ponce de León, en la biografía que publicó de esta ''santa mujer''. Los próceres fundadores de este convento fueron don Pedro Antonio de Ibarra y Sangoitia y doña Manuela de Izaguirre y Soria, su mujer, acaudalados personajes de aquellos tiempos. El monasterio se construyó al lado del templo, sobre la calle que actualmente se llama de Portugal, y las monjas fundadoras que vinieron de Valladolid tomaron posesión de su casa el 14 de octubre de 1747.

Casa de los Once Patios

En el atrio del templo, antes de llegar a las portadas construidas en el siglo XIX, se abre una gran puerta que da ingreso al claustro del convento. Este es en su parte baja de columnas toscanas y arcos de medio punto, en tanto que el claustro alto sólo en parte es así y el resto de madera y de pobre estructura. La portada principal del monasterio deba a la calle que se ha mencionado.

En la parte posterior de este edificio y del Sagrario se ha abierto una calle que posiblemente ya había existido, quedando al descubierto una enorme finca, mutilada en parte para dar lugar a casas habitación, conocida con el nombre de ''Casa de los Once Patios'', ocupada ahora en su totalidad por talleres y tiendas artesanales.

Uno de estos patios presenta gran semejanza en su estructura a la llamada ''Casa

Casa de Huitziméngari

95

Casa del Gigante, patio

del Gigante'', aunque sin gigante, a tal grado que no se puede vacilar en atribuir ambas obras al mismo arquitecto. Este patio tiene, además, un curioso baño con una portadita barroca, rica en extremo. Y, dice Toussaint: "Tanto más valioso es este pequeño baño cuanto que son escasos en la Colonia los sitios destinados exclusivamente para ese objeto."

El señor Quiroga siempre tuvo deseos de llevar jesuítas a su obispado, y se refiere que en su último viaje a España se entrevistó con el General de la Compañía, que era San Francisco de Borja. Empero, cuando falleció don Vasco aún no habían llegado los hijos del de Loyola.

Cuando los primeros jesuítas llegaron a México en 1572, pasaron a Michoacán el padre Juan Curiel y el hermano Juan de la Carrera.

La idea de que éstos tuvieran colegio en Pátzcuaro persistió entre los miembros del cabildo catedral. De esta manera, el cabildo procuró que la catedral se trasladara al nuevo edificio que había empezado a construir para ella don Vasco de Quiroga, dejando la iglesia de San Salvador para los jesuítas.

En 1574 el provincial Pedro Sánchez llegó a Pátzcuaro para tomar posesión de la casa, en la que se estableció el colegio e iglesia. Así, el segundo colegio fundado por los jesuítas en México fue el de Pátzcuaro. El edificio del colegio fue creciendo en medio de numerosas vicisitudes, hasta que los miembros de la Compañía fueron expulsados en 1767 de los dominios españoles.

Parece ser que el edificio siguió sirviendo como instituto de enseñanza elemental, hasta que en 1854 se entregó a los padres de San Vicente de Paúl, quienes fueron expulsados al entrar en vigor las Leyes de Reforma.

Más tarde el edificio siguió albergando instituciones educativas y por falta de mantenimiento, convirtiéndose en ruina. Recientemente, gracias al entusiasmo de Rafaela Luft y un grupo de vecinos, se integró un patronato para rescatar este edificio lo que se ha logrado con gran éxito. Es indudable que de los edificios primitivos de este plantel poco o casi nada queda, pues lo que vemos en la actualidad parece datar todo del siglo XVIII.

Sagrario

Quien camina por esas calles pinas y anchas de Pátzcuaro o por aquellas otras estrechas y quebradas, adaptadas a la peculiar topografía donde el primer obispo sentó sus reales, va experimentando una y otra sorpresa.

Detalle de la puerta de San Salvador

Venerables construcciones del siglo XVI que han sido inoculadas con elementos arquitectónicos de los tres siglos siguientes, como el caso, por ejemplo, del convento de San Francisco, que fundado por el apóstol de Michoacán fray Martín de Jesús o de la Coruña, fue cambiado de lugar después de la muerte de éste, acaecida aproximadamente en 1557, y entonces empezó a construirse el actual. Así, en la puerta de ingreso al claustro, "que es una de las más bellas obras renacentistas que existen en esta ciudad", se lee en una piedra incrustada la fecha de 1577. En cambio, la portada principal, inconclusa, es del siglo XIX, y la lateral que da al atrio es sencilla, del siglo XVI, "formada de grandes dovelas y alfiz." Enfrente destaca una bella cruz, igualmente del siglo XVI con relieves en su superficie.

Hay otras piezas también del

siglo de la conquista, escasas ellas, como, por ejemplo, la cruz de "El Humilladero" que lleva la fecha de 1553, "sin duda la más antigua de Pátzcuaro". Es ella una cruz de piedra con la imagen de Cristo.

Según los historiadores de Pátzcuaro en ese lugar, pasado el *barrio fuerte*, ya en las afueras de la población, los indios recibieron de paz a los españoles, y por eso el nombre del humilladero.

"Nada más inexacto, opina Toussaint, en cuanto al origen del nombre. Sea o no cierto que allí se rindieron los indígenas a los españoles, lo único que parece probable es que en ese

Portal Chaparro, vista exterior

100

Pátzcuaro: San Francisco (cruz atrial)

Plaza Principal

sitio se levantó un crucifijo en su pedestal formando lo que se conoce en España con el nombre de 'Humilladero', es decir, una cruz en algún sitio público.''

Al siguiente siglo se construyó la capilla que ahora

se ve y que lleva el mismo nombre que desde el siglo XVI recibió el lugar.

El Hospital de San Juan de Dios, es una fundación de mediados del siglo XVII; de la misma época el templo del Hospital de San Francisco, una pequeña iglesia conocida con el nombre de "Iglesia del Hospital".

Otra de las construcciones religiosas interesantes es el Santuario de Guadalupe, "cuyo aspecto es bien característico por la enorme torre espadaña", visible desde casi cualquier punto de la ciudad. Es una construcción de principios de la vida independiente cuyo proyecto se atribuye a Tresguerras, algo poco probable.

De la fundación de los agustinos que fue un establecimiento hecho por fray Alonso de la Veracruz, se conserva solamente la iglesia

Humilladero

convertida en biblioteca pública. El convento que poseía una bella portería con tres arcos de ingreso de un puro carácter renacentista ha desaparecido para dar lugar a un teatro, hecho en el año de 1930 por el arquitecto Alberto Le Duc, que lleva el nombre de ''Emperador Caltzontzin''.

En el ex-templo de San Agustín que, como se lleva dicho, es ahora una biblioteca, en lo que fue el testero de la iglesia el artista Juan O'Gorman ha dejado un gran mural que representa la conquista de Pátzcuaro por los europeos y el arribo de Quiroga a su diócesis.

Las iglesias y conventos que se han mencionado son los exponentes más significativos de la arquitectura religiosa de Pátzcuaro.

Sin embargo, el templo más importante de esta bellísima ciudad es la Basílica de Nuestra Señora de la Salud, como que fue la Catedral que don Vasco de Quiroga había empezado a construir, cuyo proyecto era verdaderamente grandioso: debía constar de cinco naves que concurrían a un centro en el que se encontraba el altar mayor. De no haber tenido aquel proyecto tanta oposición, y de haberse realizado hubiese sido una catedral única en América, pues que todas las de acá siguieron los modelos de las españolas.

Canónicamente esta iglesia fue hasta 1578 catedral, después parroquia, más tarde santuario, y desde 1908 colegiata. Alcanzó su categoría máxima que todavía hoy ostenta, en 1924. En ella se venera la imagen de la Santísima Virgen de la Salud y una urna especial, recientemente construida, guarda los restos óseos del primer obispo michoacanense.

La ciudad del lago tiene

Basílica

numerosas construcciones relevantes de la arquitectura civil de la época colonial y del siglo XIX. En el entorno de la plaza mayor están algunos ejemplares.

La "Casa del Portal Chaparro", la más antigua de las casas que se encuentran en la plaza principal de Pátzcuaro llamada así porque el que la sostiene es mucho más bajo que el resto de los portales contiguos. El portal está formado por gruesos troncos de madera que sostienen una trabe horizontal sobre la que descansa el edificio. La fachada es un simple muro con dos balcones con barandales de madera torneada.

Otro de los ejemplares de esa arquitectura civil es la ya citada *Casa del Gigante*, nombrada así por una gran figura que representa a un soldado esculpido en argamasa y policromado, que se encuentra como callado vigilante en el

Virgen de la Salud

corredor de la planta alta del edificio.

La casa es de una delicada belleza, no en su exterior, ya que la fachada no acusa nada de la magnificencia arquitectónica que encontramos dentro. Lo más importante de esta casa es el patio, formado por columnas de delicado perfil, con volados capiteles corintios que sostienen arcos de medio punto con su arquivolta ''vigorosamente moldurada y una gran clave finamente esculpida en el centro...Pocas mansiones tan bellas se encuentran en cualquier ciudad de nuestro país.''

Otra de las casas más importantes del entorno de la plaza principal es la llamada *Casa de Huitziméngari*. La fachada es de una gran sencillez y no revela la magnificencia interior. No es su patio como la del Gigante, ''sino que hay una rudeza más arcaica en estos

Calle de los Once Patios

107

enormes arcos de pilastras rectangulares que sostienen la parte alta que presenta pretiles de mampostería que recuerdan los de la arquitectura poblana, pero que, sin embargo, tienen personalidad propia.''

Aquí en la plaza mayor, muy de verse, son también la casa de los condes de Villahermosa de Alfaro, popularmente llamada *Casa de los Escudos*; la casa de los Venicia; las llamadas *Casas Consistoriales*, que más que nada, en vista de tantas modificaciones y reformas que han sufrido, representan un baluarte para la historia de Pátzcuaro. O bien la casa de los Iturbe, cuyo único interés arquitectónico lo da la escalera que no sigue un eje uniforme, sino que se tuerce caprichosamente , por lo que se la llama *Casa de la escalera chueca*.

El conjunto arquitectónico de esta gran plaza patzcuarense

San Agustín: actual Biblioteca

108

Casa de los Once Patios, acceso principal

resulta inolvidable.

Por la vieja calle de San Francisco destaca una casa que presenta notables ornatos en su puerta y balcones, fino y esmerado trabajo de los canteros diecichescos, se la conoce con el nombre de *Casa de la Real Aduana.*

En fin, siendo las fincas mencionadas algunas de las más conspicuas de esta ciudad, ello no quiere decir que sean las únicas de gran relevancia. Pero lo que si es de notar, es la armonía arquitectónica que muestra casi todo Pátzcuaro: sus amplios aleros para proteger a los transeuntes de la lluvia, sus materiales de construcción que en un clima como el de esta ciudad mantienen el grato calor de hogar, que dan a la urbe un no se qué de intimidad.

Esta interioridad de la vida patzcuarense parece prolongarse en ciertas horas aún en

109

los amplios espacios de sus plazas, ahora bordeadas por robustos árboles, como el de la plaza principal, originalmente diseñada para los juegos de jineta y brida, tales, como el de *correr cañas* o el de la *sortija*, en donde la destreza de los caballeros corría pareja con el discreto amor.

Plazas en donde la vida pública se manifiesta los días de mercado o los días de la fiesta.

Las plazas de San Agustín, del Santuario, de San Francisco, de la Basílica o del Volador son el marco para el asueto de los patzcuarenses.

Desde la vieja ciudad
se puede bajar, porque se baja, hacia la estación del ferrocarril y de aquí, por una larga calzada empedrada, bordeada de casas y restaurantes, se llega al embarcadero en donde el viajero puede lanzarse a la grata aventura de navegar para visitar alguna de las islas que en él se encuentran; la más socorrida es la mundialmente famosa isla de Janitzio en donde anualmente se celebra la *Noche de Muertos* más fotografiada y filmada de estos rumbos, sin que esto quiera decir que es la única en el entorno del lago.

En la cima, hecha de concreto adicionado con grandes bloques de cantera y hueca, hay una estatua dedicada al señor Morelos, el héroe invicto de nuestra Independencia.

La estatua fue hecha por el escultor mexicano Guillermo Ruiz, pionero de la moderna escultura del país, y revela "una gran audacia y un perfecto sentido de lo monumental." El interior está decorado por el pintor Ramón Alva de la Canal, quien con sus pinceles pretendió reproducir la vida del héroe; en la cabeza de la escultura hay un mínimo museo referente al

Vista del lago desde Janitzio

Janitzio: Noche de Muertos

Lago de Pátzcuaro y Janitzio

prócer, y en el brazo tendido hacia arriba un mirador cuyo pretil es el remate de la manga del ropaje.

Desde este lugar puede verse el espectáculo más maravilloso que sea dable imaginar: "la perspectiva del lago, los pueblos de las orillas, la vida espejeante del agua surcada de canoas y el hormigueo de los indios que constituyen el interés más notable de este lago."

Entre las otras islas e islotes destaca por su belleza la breve ínsula de Yunuén, asiento de pescadores por ser un lugar rocoso con escasa tierra cultivable. En la escuela de este lugar el pintor Alva de la Canal dejó unas bellas pinturas murales sobre la vida de aquellos pescadores que él conoció. A esta isla, el abogado michoacano Gonzalo Chapela dedicó una hermosa canción: *Yunuén.*

Niño artesano de Santa Clara

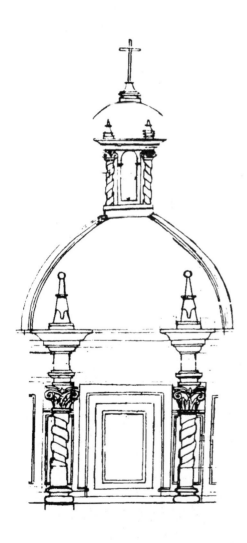

En las inmediaciones de la ciudad de Pátzcuaro hay una alta montaña, el *Cerro del Estribo*, estupendo miraje para contemplar un paisaje más amplio que el que se ve desde el mirador de Janitzio.

Desde esa altura puede apreciarse con toda precisión la traza de la ciudad que, hecha antes de la expedición de las Ordenanzas de Felipe II, dadas en 1573 para las nuevas poblaciones y pacificaciones, viene a comprobar que desde los inicios de las primeras fundaciones novohispanas ellas se trazaban según el propio sistema que las ordenanzas luego vinieron a sancionar. Sensiblemente es un trazo regular "con calles paralelas que van de norte a sur y otras perpendiculares de oriente a poniente," pero también se percibe con claridad lo quebrado del terreno sobre el que se asentó la ciudad. Cruzan este trazo de manera ideal "las dos diagonales que forman el Camino Real que va de Morelia a Uruapan y el que, pudiera decirse, sale de la plaza para Zacapu.''

Desde los tiempos viejos, desde antiguo, desde que Pátzcuaro fue la Ciudad de Michoacán, desde los tiempos de la arriería, era este punto una cruz de caminos, condición que se ha precisado más con la multiplicación de las vías de comunicación. De esta manera, ahora ya se puede ir desde Pátzcuaro hasta la costa del Pacífico por una carretera que saliendo hacia el sur, primero se levanta por entre las alturas del Eje Neovolcánico hasta la pequeña población de Opopeo en donde, al vifurcarse, un ramal desciende suavemente hacia Tacámbaro y otro, también en descenso, llega primeramente al pintoresco pueblo de Santa Clara del Cobre, famoso, desde hace siglos, por la destreza de

Ario: Casa del Supremo Tribunal de Justicia

Ario: Museo del Supremo Tribunal de Justicia

Los tejados de Ario de Rosales

Supremo Tribunal de Justicia: Patio

Ario: Plaza Principal

sus artesanos que con aquel metal elaboran una serie de objetos que llaman la atención de quien los mira.

Anualmente se celebra en el mes de agosto una rumbosa feria en donde se exhiben y venden delicadas y bellas piezas que salen a martillazos, como por ensalmo, de los talleres de sus artesanos.

La carretera, entre bosques de pinos va descendiendo hasta llegar a la ciudad de Ario de Rosales, donde en 1815 el gobierno insurgente, sujeto a la Constitución de Apatzingán, estableció el primer Supremo Tribunal de Justicia del México que estaba naciendo, que es el antecedente de la Suprema Corte de Justicia de la Nación.

En Ario de Rosales, puerta de la Tierra Caliente, se goza de un buen clima, se trabaja con esmero la madera, y la comida

Panorámica de Tacámbaro

Tacámbaro, alberca

michoacana se ha enriquecido con un condimentado platillo llamado ''olla podrida''.

A escasos kilómetros de salir de Ario de Rosales, rumbo al sur, el paisaje cambia de manera notable, pinos, cedros y oyameles desaparecen del entorno y en su lugar surge la áspera flora de la Tierra Caliente, la grata temperatura que se goza en Ario es sustituida por el calor perseverante que no tiene fin. Así se llega a La Huacana.

Pueblo alegre y bien dispuesto, con su plaza principal rodeada de corpulentos y copudos tamarindos que alternan con la esbeltez de la palma real.

A pocos kilómetros de La Huacana se construyó la presa de Zicuirán, en la que se practica la pesca deportiva y en donde la mojarra adquiere un sabor verdaderamente exquisito.

La carretera bordea una parte de la presa para irse a entroncar con la que va hacia la costa por la ruta Cuatro Caminos-Playa Azul. De esta manera, siguiendo ese tránsito, se puede ir desde Pátzcuaro al litoral del Pacífico.

Tacámbaro, la otra población con que se liga Pátzcuaro, es también boca de la Tierra Caliente. Es cabecera de obispado y tiene una larga historia que contar. El clima del que goza, sus huertas y la población misma con sus pinas calles y los grandes aleros de sus tejados son un atractivo para aquellas personas que gustan de la paz lejos del bullicio de las grandes ciudades, sin que esto signifique que en Tacámbaro se carezca de los bienes de otras ciudades mayores.

En la próximidad de la población hay numerosos sitios para pasear y tiene como gran atractivo el lugar que llaman "La Alberca", una pequeña laguna formada en un cráter volcánico rodeada de bosques, y "La Laguna", lugar ideal para la pesca.

De Morelia también se puede llegar a Tacámbaro por la carretera que de Tiripitío sale a Acuitzio y Villa Madero.

Tacámbaro: calle, portal y arco

Uruapan: Parque Nacional

RUMBO A URUAPAN

Desde fines del siglo pasado Pátzcuaro quedó unida a Uruapan por el ferrocarril, y en éste, por una pintoresca carretera que en un corto tiempo une las dos ciudades: la Princesa del Lago y La Perla del Cupatitzio.

A pocos kilómetros de Pátzcuaro corriendo por la carretera a Uruapan, contiguo a la estación ferroviaria de Ajuno, se desprende un ramal del camino que en pocos minutos conduce al viajero al pequeño pueblo de Zirahuén que le da el nombre a otro maravilloso lago, espejo de los bosques que lo rodean y del profundo cielo azul.

La carretera va, serpenteando, abriéndose paso entre bosques de pinos. Arriba, a la derecha queda la llamada *Meseta Tarasca*. Casi a la mano el pueblo de Pichátaro de donde arranca un camino hacia Sevina, Nahuatzen y luego Cherán, que se encuentra al borde de la otra carretera que desde Carapan, cruce de caminos que arrancando desde la antigua carretera número 15, conduce también a Uruapan.

La nueva carretera que lleva a Uruapan va descendiendo suavemente, tocando, entre otros pueblos, Tingambato, famoso por la calidad de las chirimoyas que aquí se cultivan, y desde hace muy pocos años por la zona arqueológica que en sus inmediaciones se ha venido descubriendo y restaurando, la que corresponde a una ocupación humana muy anterior a los tarascos y emparentada con los teotihuacanos.

125

Zirahuén

Casi el paraiso

Finalmente, por un amplio *boulevard* la carretera se abre a las calles de Uruapan.

Esta ciudad que tiene casi medio millón de habitantes fue refundada en el siglo XVI por el evangelizador franciscano fray Juan de San Miguel, quien redujo a pueblo a los naturales que habían huído a los montes en los días en que Nuño de Guzmán asolaba las tierras del antiguo señorío tarasco. La abundancia de agua y la fertilidad de la tierra dio a este lugar el rango de "Paraíso de Michoacán".

Esta población, como casi toda la de la entidad está llena de historia, de una historia que trasciende los límites municipales para convertirse en parte de la historia nacional.

La ciudad es un importante centro artesanal y comercial

Tingambato

pues su posición estratégica en la geografía de la entidad la comunica con los ricos valles agrícolas de la Tierra Caliente: Lombardía, Nueva Italia y Apatzingán, zonas beneficiadas por un eficiente sistema de irrigación. Asimismo, la carretera que la comunica con Ciudad Lázaro Cárdenas y la costa michoacana ha contribuido enormemente a su desarrollo comercial.

En Uruapan, es muy de verse el hermoso Parque Nacional en donde nace el afamado Río Cupatitzio en un punto conocido con el nombre de la Rodilla del Diablo. Todo ello tiene su correspondiente leyenda.

Este río que bordea una parte de la población va hacia el sur y a 10 kilómetros de su trayecto forma la pintoresca cascada conocida con el nombre de La Tzaráracua.

Chorros del Varal

Uruapan: Huatapera

En el mero centro de la población se yergue la guatapera, el hospital que erigió para los naturales el benefactor padre fundador. Tiene una hermosa portada plateresca y sus ventanas, también de piedra, ostentan el mismo estilo trabajado con gran finura. Actualmente el lugar está ocupado por un interesante museo y tienda de artesanías regionales.

La arquitectura de Uruapan conserva aún los rasgos distintivos de la región en donde la madera, el adobe y el barro cocido son los elementos constructivos prevalecientes.

Posee Uruapan un mercado de artesanías, un Museo Municipal y algunos balnearios como Las Juntas del Cupatitzio en el camino a Apatzingán y Cholinde, en la salida a Pátzcuaro.

En los alrededores
de la ciudad pueden visitarse
numerosos lugares: San Juan
Nuevo Parangaricutiro, fundado
después de que la arena y lava
de la erupción del Paricutín
sepultó al viejo pueblo de San
Juan de las Colchas o Parangaricutiro; Angahuan es otra
comunidad indígena a la que se
llega desde Capacuaro, pueblo
situado sobre la carretera que va
de Uruapan a Carapan.

En Angahuan puede
admirarse la fachada de su
iglesia decorada con el estilo
plateresco, el más puro y bello
de cuantos se encuentran en
Michoacán.

Desde este poblado, a pie
o a caballo, se puede excursionar
hasta el ya apagado volcán
Paricutín y hacia donde estuvo
el viejo Parangaricutiro, cuyo
único testimonio es su templo
medio sepultado por la lava.

San Juan Nuevo

De Angahuan continúa una buena carretera hacia Zacán, tierra de los mejores compositores musicales de estos rumbos, que posee una hermosa guatapera del siglo XVI con un artesonado delicadamente pintado, como el de Tupátaro, ostentando en puertas y ventanas un delicado trabajo mudéjar tallado en las piedras de los dinteles y jambas.

Desde Zacán la carretera continúa a través de la "Meseta", para descender hacia Peribán, en donde se intersecta con la carretera que desde la presa de Chilatán viene hasta el próspero centro azucarero de Los Reyes, quedando, no lejos de San Francisco Peribán, otra hermosa y pintoresca caída de agua, los Chorros del Varal.

De Uruapan, por la citada carretera a Carapan se toca Aranza, una población cuyos artesanos elaboran finísimos deshilados; y más adelante, casi

Angahuan

132

a la mitad de la "Meseta", la ciudad de Paracho, famosa por sus trabajos en madera, pero de modo muy especial por su fina laudería.

No lejos de Uruapan, hacia el sur, rumbo a Taretan, tierras de caña de azúcar, hay otro centro recreativo, se trata de Caracha, balneario de singular belleza que cuenta con albercas, chapoteaderos, canchas de tenis, áreas jardinadas, juegos infantiles, cenadores con parrillas, agua potable y todo lo necesario para pasar un día de solaz inolvidable.

Angahuan: Detalle de la puerta

Zacapu

CAMINOS DEL OCCIDENTE

Saliendo de Morelia rumbo a Guadalajara por la vieja carretera número 15, después de pasar Quiroga y Santa Fe, se abandona la cuenca del lago de Pátzcuaro y el camino se encumbra entre bosques de pinos y oyameles.

Nuevamente desciende para llegar a una próspera región agrícola: la "Ciénega de Zacapu". Aquí, sobre la carretera hay varios pueblos de diverso interés. Uno de ellos, Naranjan, se destaca porque en su sobria iglesia de origen franciscano hay otro de esos hermosos artesonados pintados en el siglo XVIII, que no son infrecuentes en los pueblos indígenas de Michoacán.

Poco más adelante se llega a la población más importante de este rumbo: Zacapu, centro agrícola, industrial y comercial.

Este lugar tuvo en los tiempos prehispánicos un importante rango y estuvo densamente poblado, de lo que hay datos por las referencias de la Relación de Michoacán y los numerosos vestigios arqueológicos que se encuentran en su entorno.

En la ciudad de Zacapu existe un convento que fundaron los franciscanos en el siglo XVI, en cuya iglesia lo más importante es la portada, "muy rica pero muy sobria, con ventana geminada sobre el arco de la puerta. Acaso, piensa Toussaint, provengan de ella todas las demás del mismo tipo que se encuentran en la región."

No lejos existe un volcán inactivo en cuyo gran cráter existe un inagotable depósito acuítero.

Más adelante de Zacapu está Carapan. Es este lugar, si se va desde Morelia al Occidente michoacano por carretera, la puerta de entrada a una pintoresca y fértil cañada irrigada por las aguas del Duero que nace, precísamente, en las inmediaciones de Carapan. Se trata de la Cañada de los Once Pueblos, entre los cuales, a pesar de su inmediatez, cada uno tiene características particulares, ya sea en su artesanía o sus regionalismos. De este modo el viajero pasa por Ichán, Huáncito, Urén, Zocopo, Chilchota, Tanaquillo, Etúcuaro, Acachuén, Santo Tomás, Los Nogales y Noroto. En algunos de estos lugares hay manantiales cuyas aguas van a irrigar sus fértiles tierras y a engrosar el cauce del Duero.

Al finalizar esta cañada está la próspera región de Tangancícuaro, cuya cabecera del mismo nombre dista sólo 14 kilómetros de Zamora.

A este municipio pertenece Camécuaro, poseedor de un lago de 1,400 metros de largo por 100 de ancho, alimentado, dicen, por unos 1,300 nacimientos de agua, de ellos dos muy importantes: Junguarán y Cupátziro.

También Tangancícuaro es la entrada a una región rica en arte popular situada en la Sierra de Patamban, representada por los pueblos alfareros de Patamban, el lugar de las hermosas ollas en forma de piñas de color esmeralda, en este mismo pueblo, evangelizado originalmente por los franciscanos, se conserva lo que fue su templo en donde se celebran las fiestas religiosas de Cristo Rey, ahí el espíritu gregario y la sensibilidad de sus habitantes se conjugan para hacer grandes alfombras con pétalos de flores, asi como delicados adornos de

Alfarería de Patamban

cera que se cuelgan por donde ha
de pasar el Santísimo; San José
de Gracia, otro centro alfarero,
y Ocumicho, la tierra de los
diablos.

Patamban

Ocumicho

Camécuaro

Zamora: Santuario de Guadalupe

ZAMORA A LA VISTA

Por la carretera federal número 15 la próspera ciudad de Zamora queda a 152 kilómetros de la ciudad de Morelia. Aquélla está perfectamente comunicada con el centro del país; Guanajuato y Jalisco le quedan al alcance de la mano, de ahí que Guadalajara sea para los zamoranos un importante polo de atracción. Es la ciudad más importante del Ocidente michoacano, aunque La Piedad trata de rivalizarla.

La Villa de Zamora, fundación del siglo XVI, se estableció en el fértil Valle de Tziróndaro (lugar de ciénegas, en lengua tarasca). La base de su economía ha sido la agricultura que ocupa, sin desdén de otras actividades económicas que en ella se practican, el centro de la atención de sus habitantes. Esto ha propiciado que existan una serie de empresas empacadoras de legumbres y fresa, producto este último que ha dado renombre a la región.

Zamora ha sido cuna de hombres muy ilustres que han dado fama a la cultura nacional. Aquí nacieron: don Benito Díaz de Gamarra y Dávalos, novator de la filosofía mexicana en el siglo XVIII; el doctor don José Sixto Berdusco, uno de los integrantes de la famosa Junta de Zitácuaro; el exquisito poeta neoclásico Fray Manuel Martínez de Navarrete; el célebre arzobispo de México don Pelagio Antonio Labastida y Dávalos; los humanistas Atenógenes Segale y Alfonso y Gabriel Méndez Plancarte; don José Antonio Plancarte fundador de la orden Guadalupana y pionero de la moderna arqueología mexicana; los diplomáticos Luis Padilla Nervo y Alfonso García Robles, éste último Premio Nobel de la Paz; el caricaturista Rius, entre otros.

En 1979 el historiador don Luis González y González logró que en Zamora cristalizara la iniciativa de fundar El Colegio de Michoacán, importantísimo centro docente y de investigación, emparentado con El Colegio de México.

Desde la segunda mitad del siglo XIX Zamora es sede episcopal. Tiene su Catedral que funciona en lo que fue la parroquia hasta el año de 1864, templo de estilo neoclásico construido en 1838 de acuerdo al proyecto del arquitecto Nicolás Luna. Otros templos como San Francisco, el Santuario, el del Sagrado Corazón de Jesús, El Calvario y la Catedral inconclusa de estilo neogótico, en donde ahora se venera a Nuestra Señora de Guadalupe, así como el Palacio Episcopal, dan testimonio de la religiosidad de los habitantes de esta ciudad.

Catedral de Zamora

La dulcería zamorana es de gran fama: frutas cubiertas, una gran variedad de dulces de leche en los que se combinan deleitosamente pistaches, nueces, piñones y almendras, ciruelas y pasas, pero de entre todos los que han adquirido verdadera fama son los chongos ahora ya industrializados.

Próximos a Zamora hay numerosos sitios de gran interés. A un paso de la ciudad del Duero, como también se la ha llamado, está Jacona, a la que llaman Villa de las Flores por su exuberante vegetación que dulcifica en el verano el clima cálido de esta región.

Además, la naturaleza que todo lo compensa ha dotado de numerosos manantiales a esta región que han sido aprovechados para establecer algunos atractivos balnearios como los de Sámano, Tulipanes y El Pedregal en la misma Jacona y en las proximidades a está

Piezas arqueológicas

143

ciudad y a Zamora: La Estancia y Orandino. No lejos de Jacona, al pie del Cerro de Curutarán, donde nace el río Celio, existe la Presa Verduzco en la que se practican deportes acuáticos.

En el Curutarán se conservan interesantes pinturas rupestres de la época prehispánica y una amplia zona arqueológica, El Opeño, constituida por tumbas pretarascas, cuya exploración y los múltiples hallazgos realizados por los arqueólogos del INAH han dado aportes fundamentales para el conocimiento de la vida prehispánica en esta región.

No lejos de Zamora existen dos localidades dignas de visitarse: Santiago Tangamandapio, centro textil y de cestería, y Tarecuato, comunidad indígena que tiene un monasterio franciscano, fundado en el siglo XVI por el evangelizador Fray Jacobo Daciano.

Tarecuato

144

Huaraches

Continuando por la carretera número 15 hay una desviación que conduce al pintoresco poblado de Cotija, cuna de obispos, poetas, compositores musicales y en el pasado de los grandes señores de la arriería mexicana que hicieron famoso en el país el queso de Cotija.

La misma carretera 15 lleva a Villamar que en el pasado tuvo buena producción de caña de azúcar y, por lo mismo, un buen número de población negra. En este lugar abundan las aguas termales, destacándose entre sus manantiales: La Alberca y Los Negritos.

Por la misma rua y a 60 kilómetros al oeste de Zamora se encuentra la ciudad de Jiquilpan de Juárez, cuna de dos presidentes de la República, ambos generales: don Anastasio Bustamante y don Lázaro Cárdenas. Sus industriosos habitantes fabrican rebozos, sarapes, mantas y huaraches de magnífica calidad.

Cuenta entre sus atractivos con el Centro de Estudios Históricos de la Revolución Mexicana, entre cuyos documentos se custodian los archivos del general Lázaro Cárdenas del Río y los del general Francisco J. Múgica. Adjunto a este Centro hay un Museo dedicado al general Cárdenas.

También, muy de verse es la Biblioteca Pública, cuyos muros fueron pintados por el genial muralista jalisciense José Clemente Orozco, y en sus vitrinas de exhibición pueden apreciarse algunas de las delicadas piezas arqueológicas producto de las exploraciones realizadas en la zona arqueológica Lomas de Otero, no lejana a esa cabecera municipal.

Los habitantes de Jiquilpan suelen pasear por el Bosque Cuauhtémoc, Las Cabañas, Tres Ríos, La Huerta de Laza, Barranca del Aire, Barranca de los Laureles y las yácatas de la citada zona arqueológica. En Jiquilpan se celebran varias ferias siendo la más importante la del 20 de noviembre, aniversario del inicio de la Revolución Mexicana.

Por la misma antigua ruta México-Morelia-Guadalajara, a sólo 8 kilómetros de Jiquilpan, se encuentra el viajero con la ciudad de Sahuayo, cuyos emprendedores e incansables habitantes dedicados a la agricultura, ganadería, industria, comercio y finanzas la han convertido en una próspera población.

Entre los atractivos que tiene esta ciudad son de mirar: el templo dedicado al Sagrado Corazón de Jesús, construcción del siglo pasado que da cobijo a una bella escultura del artista Adolfo Cisneros, una pila bautismal de piedra labrada que

Mural de José Clemente Orozco

Cerámica Prehispánica

representa el bautismo de Cristo y unas criptas, asaz interesantes; el Santuario de Guadalupe, un templo de estilo neoclásico en el que hay pinturas del maestro Luis Sahagún, originario que fue de este lugar; el Calvario se encuentra en el Cerro de Santiaguillo, al poniente de la ciudad. Al final de su escalinata hay un viacrucis, obra del citado pintor Sahagún, donde se ha erigido una capilla, sobre cuya bóveda se levanta el monumento a Cristo Rey con una altura aproximada de 30 metros. Desde este lugar se tiene una gran panorámica que abarca toda la ciudad de Sahuayo, parte de Jiquilpan y hacia el norte el Lago de Chapala y el Molino de Guaracha. Enorgullece también a los sahuayenses el Museo ''Luis Sahagún'', instalado en el Centro Cultural del Colegio Salesiano y la Casa de la Cultura, en donde se fomentan distintos aspectos de la cultura michoacana y de otros lugares.

Talla de madera

Las industrias que han florecido con mayor empuje son las de la fabricación de sombreros de palma de gran calidad y las de la confección de huaraches de buen acabado y fina estampa.

Al Bajío Michoacano

De la ciudad de Zamora hacia La Barca parte la carretera estatal número 16, en cuyo trayecto se encuentra el viajero con numerosas sorpresas. Ahí nada más, a 29 kilómetros del punto de partida, topáse uno con la población de Ixtlán, centro agropecuario que presume con un imponente géiser.

Más adelante está la población de Vista Hermosa en cuyas inmediaciones vale visitar la ex-hacienda de Buenavista, cuyo propietario en el siglo XIX fue el tristemente célebre don Francisco Valverde, a quien apodaban el ''Burro de Oro''

Fabricación de sombreros

por su inocultable torpeza e incalculable riqueza.

Más adelante, ya en el mero Bajío Michoacano, están los municipios de Venustiano Carranza y Cojumatlán, limitantes con el Lago de Chapala, lugares propicios para la natación, el canotaje y las regatas.

Al noroeste de Zamora se encuentra la ciudad de La Piedad de Cabadas, bañada en parte por el Río Lerma que separa esta población del Estado de Guanajuato.

Esta ciudad es un importante centro comercial, porcícola e industrial y tiene todas las características de las poblaciones michoacanas del Bajío, como Yurécuaro, Purépero o Puruándiro en donde la agricultura y la ganadería, así como los productos derivados de la leche o de las pieles de

bovinos, han hecho la prosperidad de sus habitantes.

La rebocería de La Piedad es de veras fina.

Ixtlán (Geiser)

150

La Piedad

Maruata

MAR Y CIELO

La Secretaría de Turismo del Estado de Michoacán ofrece a los visitantes una interesante travesía por la parte de la entidad hasta hace poco tiempo casi inédita para el turismo, a la que ha denominado ''Ruta Panorámica Apatzingán-La Costa''.

Al sur de los antiguos ''Llanos de Antúnez'' el lugar de partida para esta ruta es la población de Cuatro Caminos. En este punto la carretera que viene de Uruapan se bifurca. De este punto, rumbo al occidente camina para llegar a la ciudad de Apatzingán, cabecera del rico municipio del mismo nombre.

En la ciudad de Apatzingán de la Constitución, que también es cabeza de obispado, existe un relicario de la Patria; la Casa de la Constitución, llamada así pues que en ella se firmó el 22 de octubre de 1814 el *Decreto Constitucional para la Libertad de la América Mexicana*, primera Constitución del México insurgente y culminación de los trabajos que en septiembre del año anterior (1813) habían iniciado aquellos trashumantes constituyentes en la ciudad de Chilpancingo.

En este santuario cívico nacional hay un Museo alusivo a la gesta de aquellos infatigables compañeros del señor cura Morelos.

Próximo a Apatzingán, donde el terreno empieza a elevarse hacia la Sierra de Tancítaro, se encuentra la Villa de Parácuaro en donde gracias a 33 manantiales de límpidas aguas se disfrutan sanos y reconfortantes baños de agua fresca. Un alivio para el calor de

Apatzingán

Pintura de la Promulgación de la Constitución de 1814

Tancítaro

Presa del Infiernillo

Apatzingán.

Montaña arriba, en las estribaciones del Pico de Tancítaro, se localiza el Santuario de la Virgen de Acahuato, imagen muy venerada por esos rumbos. Desde ese lugar se tiene una impresionante vista del Valle de Apatzingán y de la parte de la Tierra Caliente correspondiente roto en la lejanía por las crestas de la Sierra Madre del Sur.

En la Ciudad de la Constitución sus artesanos se distinguen por sus trabajos en piel: cómodos equipales, buenas sillas y arreos de montar y las famosas ''cueras'', una especie de sobretodo de piel, indispensables para los jinetes de la Tierra Caliente.

Por la misma ruta, a 67 kilómetros de Apatzingán, se llega al risueño pueblo de Tepalcatepec, población enmarcada por el río del mismo nombre, importante afluente del Balsas. Sus aguas, y ahora las de la Presa de Chilatán, fertilizan la tierra propicia a los cultivos de clima cálido. Tepalcatepec ha sido la cuna de hombres que con su talento han dado prez al ejercicio del Derecho y a las letras del país, entre ellos el malogrado dramaturgo Sergio Magaña.

En franco ascenso por la escarpada Sierra Madre del Sur la carretera serpentea entre bosques de tierra templada y tierra fría para llegar a Coalcomán, lugar en el que al final del siglo XVIII el mineralogista español don Andrés del Río construyó la primera acería en tierras de América Hispánica, destruida, lamentablemente, en 1813 durante la Guerra de Independencia.

En esta Ruta Panorámica se parte de la otra bifurcación de Cuatro Caminos para llegar

Río Balsas

SICARTSA

a la costa.

No podría decirse literalmente que se baja al litoral michoacano, pues aunque sí desciende la carretera y el terreno a partir de Cuatro Caminos, nuevamente la ruta sube por la escarpada Sierra Madre. Así se llega a la población de Arteaga cuyos habitantes se dedican a la agricultura, horticultura y ganadería y a la manufactura de finos y bien templados machetes, a la talabartería y carpintería. La población se alza apenas a 100 metros sobre el nível del mar. De los ríos cercanos y del lago que forma la Presa del Infiernillo, pescan diferentes especies y en las montañas y cañadas cercanas la cacería no es escasa.

El terreno sigue elevándose y la carretera parece llegar al filo de la sierra. De pronto, allá en el horizonte se mira la fina línea azul del Oceáno

Playón

Huerta de palma

Pacífico y el macizo montañoso parece precipitarse hacia el mar.

La carretera va con rapidez descendiendo entre repisas sacadas a la escarpa. La flora y la temperatura cambian por segundos. Al final de esta aventura de los sentidos se llega a un suave plano inclinado lleno de huertas de mango y plantaciones de palma y se tiene la impresión de que el mar ha desaparecido.

Una nueva elevación, un promontorio, un caserío; se ha llegado a La Mira. Aquí la carretera se bifurca. Un ramal conduce a la ciudad y puerto de Lázaro Cárdenas situado entre el mar y la desembocadura del Río de las Balsas. Su gran desarrollo industrial, pues que en ella se encuentra establecida la Siderúrgica Lázaro Cárdenas-Las Truchas (SICARTSA), la planta más grande en su género de América Latina y otras industrias más, así como sus

Maruata

importantes obras portuarias, hizo posible que en un cortísimo tiempo creciera una gran ciudad que cuenta con toda clase de servicios, comunicada fácilmente con Acapulco por un estupenda carretera costera y con Manzanillo, en Colima, por la carretera costera recientemente construida en el litoral michoacano.

El otro ramal lleva hasta Playa Azul-Eréndira, lugar de descanso con amplias playas de arena suavísima y mar abierto, desde donde arranca la carretera costera de Michoacán que corre paralela al mar.

Desde Lázaro Cárdenas hasta La Peñas de Chucutitán hay un extenso playón de 32 kilómetros interrumpido en algunos tramos, durante la época de secas, por los esteros de agua dulce que se forman en la desembocadura de algunos ríos y arroyos, y en la temporada de lluvias por las corrientes de aquellos ríos y arroyos; aguas que fertilizan las numerosas huertas que en esas tierras bajas se han cultivado.

En ese tramo la carretera pasa por dos comunidades importantes por la producción de sus huertas: Calabazas y El Malacate. En seguida están Las Peñas de Chucutitán donde empieza el litoral identado de la costa michoacana formado por grandes masas de rocas ígneas de la Sierra Madre del Sur.

Pequeñas playas, innumerables caletillas ocultas entre el follaje de pochotas, ujes, árboles de palo de rosa, ceibas, parotas, platanales, palmeras, cacaoteros y otras muchas plantas de la región; algunas comestibles, otras venenosas; algunas medicinales, otras tóxicas, y en los pequeños valles breves plantaciones de sandía, melón o arroz, más el espumante mar y el caleidoscópico juego de la luz hacen del paisaje un

Peñas de Chucutitán

Bahía Bufadero

inagotable espectáculo paradisíaco.

En algunos lugares el ruido del mar es apenas un suave rumor, en otros es un feroz bramido, como en Punta Bufadero.

Esta pintoresca carretera sigue de Las Peñas de Chucutitán por La Manzanillita, Boca de Rangel, San Felipe, El Bejuco, Popoyuta, Chuta en la desembocadura del río del mismo nombre, en cuyas arenas hay polvillo de oro que arrastran en la época de lluvia las broncas aguas que bajan de las ásperas montañas; La Salada, Mexcalhuacán, en donde se producen los cocos más grandes, más cargados de agua de todo el litoral del Pacífico; La Manzanilla, Carrizalillo, Playas Cuatas, Bahía Bufadero, antes Caleta de Campos, Teolán, Nexpa con su gran playón, Huahua, Pichilinguillo, Bahía de Maruata con sus playas, las más

Punta San Telmo

San Juan de Alima

bellas de la costa michoacana, que en el siglo pasado fue declarada puerto de altura; la Punta de San Telmo y Bucerías donde termina el litoral rocoso para desplegar una larga playa ante las olas del mar. Desde este lugar hasta la desembocadura del Río Coahuayana la carretera toca San Juan de Alima y, finalmente, Boca de Apiza.

Es posible también contemplar desde el mar este litoral identado, usando para ello alguna de las lanchas de motor de los pescadores que se dedican a recoger en sus redes algunas de las especies marinas de la región.

Abundan en estas aguas langostinos, también llamados chacales, langostas, de gran tamaño las de Punta Bufadero, ostiones, almejas, huachinango, robalo, jurel, pargo, marlín y cazón que es abundante. También hay pez vela para la pesca deportiva.

Regreso de Pescadores

Puerto Garnica

LOS ENCANTOS DEL ORIENTE

Partiendo del centro hacia el oriente de esa rosa de los vientos michoacana que es la ciudad capital, el viajero se lleva otras muchas sorpresas.

Por la cincuentona carretera número 15, laberíntica y sinuosa, mas de un trazo impecable que habla muy bien de los ingenieros mexicanos que la hicieron, el terreno va en constante ascenso por la escarpada Sierra Central constituida por el Eje Neovolcánico, poblada por pinares y bosques de oyamel a los que se llega después de superar las alturas de los fornidos encinos.

Así se llega a encumbramientos que lindan en los tres mil metros sobre el nivel del mar.

Más allá del Temascal, de donde parte un viejo camino carretero a Huetamo, la carretera va, en tramos, cabalgando las alturas, casi en vilo sobre los profundos precipicios. Al sur y al fondo se divisan, cercanos y lejanos, nítidos y borrosos los agrestes picos de la Sierra Madre del Sur. Hay unos de ellos, de curiosa forma, que fueron en el pasado como la estrella polar para los caminantes de estas regiones, los Picos de Cucha, que no dejan de mirarse durante kilómetros y kilómetros de viaje.

Después de Puerto Garnica en donde existe un lápida conmemorativa de la inauguración de este camino, que en su momento fue una proeza. La carretera empieza a decender por una gran cañada que va abriéndose para dejar lugar a una planicie bordeada por la sierras de San Andrés y de Chaparro.

Por allí sale el camino que en ascenso conduce a las presas de Pucuato, Sabaneta y Mata de Pinos. En la primera de ellas, a 8 kilómetros de La Venta, se puede practicar el campismo y la pesca de la trucha. Existen todos los servicios necesarios para acampar con comodidad.

Por las tierras de la frontera tarasca

Finalmente por la carretera número 15 se arriba a la antigua Tajimaroa, ahora Ciudad Hidalgo.

Esta es una muy añeja población que dentro de su jurisdicción, en tiempos prehispánicos, fue una de las fronteras militares que tuvieron los tarascos ante las embestidas de los azteca, y fue el primer punto michoacano al que llegaron los primeros exploradores enviados por Hernán Cortés.

Este lugar fue también, en la conquista espiritual emprendida por los franciscanos, un importante baluarte, de ahí que posea un sólido convento en el que varias cosas se pueden admirar. Entre ellas su cruz atrial, bello ejemplar de sincretismo religioso representado por un espejo de obsidiana colocado en el centro de ella, como si fuera la cabeza de Cristo que es, sin lugar a dudas, una de las representaciones prehispánicas del dios sol, así como la hermosa fuente bautismal decorada con el estilo al que don José Moreno Villa ha llamado *tequitqui*, para denominar el arte indígena subordinado al español, algo semejante al mudejarismo de España.

Antes de llegar a Ciudad Hidalgo, en San Pedro Jacuaro,

Sabaneta

Ciudad Hidalgo

Tuxpan, Iglesia

hay una desviación de donde parte una carretera que va a la Sierra de San Andrés, directa a Los Azufres.

De ciudad Hidalgo siguiendo hacia el oriente se pasa por lugares pintorescos que fueron el escenario de *Astucia, el jefe de los hermanos de la hoja o los charros contrabandistas de la rama*, aquella novela folletinesca que en 1865-1866 publicó en la ciudad de México el escritor don Luis G. Inclán.

Aquí, por esta región, antes de llegar a Tuxpan se han descubierto algunas pinturas rupestres.

Tuxpan
es una agradable y pequeña población, equidistante entre Ciudad Hidalgo y Zitácuaro. En ella, además de contar con un grato clima, flores y frutas, existe un bello ejemplar del barroco mexicano. Se trata de la

172

iglesia dedicada a Santiago Apóstol, construida por aquel famoso arquitecto Pedro de Arrieta, autor en la ciudad de México, entre otras obras, del templo de San José el Real, conocido por ''La Profesa''. En su interior se encuentra una delicada pintura de Villalpando: Las Animas. Este lienzo de grandes dimensiones fue donado al templo, que mandó construir para el perdón de sus pecados la condesa de Miravalle, por los señores capitán Pedro Manzo de Avalos y Francisco Orozco Gereséndiz Rivadeneyra y Castilla.

Siguiendo por la carretera hacia la ''Ciudad de la Independencia'', como en 1858 se llamó oficialmente a la Villa de Zitácuaro, hay una desviación hacia el sur que conduce a Jungapeo, tierra cálida y fértil. El camino que baja, baja y baja, deja dos desviaciones que conducen a sendos famosos balnearios: San

Tuxpan

173

José Purúa y Agua Blanca.

La tres veces Heroica
ciudad de Zitácuaro es, caminando por la mencionada carretera número 15, el último punto importante que tiene Michoacán por el oriente antes de entrar al Estado de México.

Dominada por las alturas de El Cacique, Camémbaro y el Cerro Pelón, en el antiguo Valle de Quencio se extiende risueña la antigua población de San Juan Zitácuaro.

Poco antes de arribar a esta ciudad se topa el viajero con el pueblecito de San Felipe de los Alzati, en el que se puede mirar un pequeño templo que denota la huella de la planta franciscana. Ostenta en su atrio una hermosa cruz, decorada con el estilo *tequitqui* del que ya se ha hablado.

Muy cercana a este lugar,

San Felipe de los Alzati (cruz atrial)

Rayón

un poco al noreste, existe un importante vestigio arqueológico, posiblemente una fortaleza de frontera, desde la que se dominan las tierras circundantes.

La ciudad de Zitácuaro en la que los franciscanos del siglo XVI tuvieron importante convento, es poseedora de una rica historia estrechamente tramada con las luchas por la independencia mexicana. En ella se estableció en agosto de 1811 la Suprema Junta Nacional Americana que le dio contenido jurídico-político al movimiento libertario iniciado por don Miguel Hidalgo. Su audacia fue castigada cruelmente por el general español Félix María Calleja, quien la mandó arrasar y quemar. De sus cenizas, como el Ave Fénix, surgió el nuevo San Juan Zitácuaro, que años después mandó quemar el dictador mexicano López de Santa Anna en abril de 1855. Nuevamente brotó la villa de

175

sus cenizas. De ahí el mote de *Ciudad de la Independencia.* Nuevamente, en 1864, durante la gran Guerra Patria, sostenida contra los invasores franceses, los zuavos, al mando del coronel Clinchant, dieron fuego a la ciudad, la que volvió a surgir de sus escombros, de ahí que en abril de 1868 el presidente Juárez la diera el título de *Heroica.*

La actual Zitácuaro por su ubicación y sus vías de comunicación, pues es también una importante puerta a la Tierra Caliente, su agricultura y silvicultura, es una ciudad próspera como centro comercial.

Resulta atractiva turísticamente por sus paisajes de gran belleza. Su proximidad a balnearios de aguas termales, la cercana presa El Bosque, el Salto de Enandio, ríos y manantiales, los apagados volcanes del Cacique y Coyota y otros encantos más de la naturaleza circundante invitan al descanso y recreación.

Zitácuaro

Huetamo, Iglesia

El Carmen Tlalpujahua

LAS TIERRAS DE ORO Y PLATA

Al noreste de Zitácuaro, entrando a Michoacán por Atlacomulco y El Oro en el Estado de México, se llega a lo que fuera el rico real de minas de Tlalpujahua, en donde los franciscanos construyeron otro monasterio y templo, dentro de cuyos muros vivió y murió el celebrado poeta zamorano perteneciente a la Arcadia Mexicana, fray Manuel Martínez de Navarrete.

En esa misma población, en el siglo XVIII, con las ganancias de la bonanza minera impulsada por el célebre minero José de la Borda, siendo cura de su parroquia el doctor don Felipe Valleza y Núñez, se edificó un lindo templo que es uno de los bellos ejemplares del barroco de Michoacán; es la parroquia de San Pedro y San Pablo, en donde se venera a la Virgen del Carmen, patrona de la población, pintada al óleo sobre adobe aplanado.

Este templo tiene ''su portada compuesta dentro de una orla moldurada que abarca todo el imafronte, pero en vez de seguir una trayectoria de medio punto, como en algunas iglesias guanajuatenses, forma una especie de arco apuntado. Dentro de este paramento se encuentran tres cuerpos, separados por anchos entablamentos, y tres entrecalles formadas por columnas, cuyas franjas helicoidales se enredan sobre un fuste octagonal. El caracter general de la fachada es geométrico, y enérgico; la ornamentación de follaje es discreta y sólo se encuentra en las enjutas, en los capiteles y en las pilastrillas estípites que enmarcan la ventana del segundo cuerpo...'', afirma Elisa Vargas Lugo. Esta autora supone que el arquitecto constructor de este bello edificio haya sido Ignacio Casas o Juan Manuel

Villagómez. ''Por otra parte, la ventana coral de Tlalpujahua recuerda la ventana de la iglesia del Carmen de San Luis Potosí. La portada lateral y la de la sacristía siguen los mismos lineamientos vigorosos.''

A principios de esta centuria, el interior del templo fue decorado por el ceramista tlalpujahuense Joaquín Orta Menchaca, el artista que por la misma época ornamentó en Morelia el Santuario de Nuestra Señora de Guadalupe.

Pero además de este notable ceramista muchos otros hijos de Tlalpujahua han sido y son artistas de varia invención.

Ahí están para muestra los objetos de arte plumaria, los trabajos en popote, los productos de sus canteros y alfareros.

Aquí mismo, exitosamente se ha desenvuelto una industria

Vista lateral Iglesia de Tlalpujahua

Presa Brockman

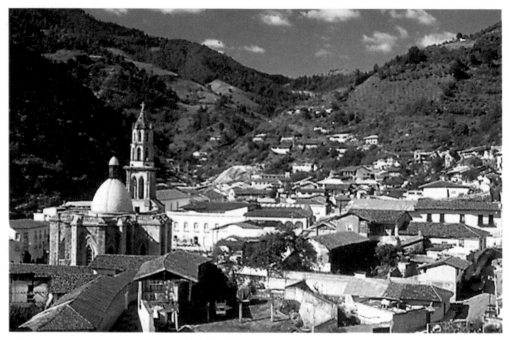

Panorámica Angangueo

Mariposa Monarca

semiartesanal, la fabricación de esferas y adornos navideños, que compite en calidad con los productos del mismo jaez que se fabrican en Rumania, Japón y Colombia.

Cercanos a Tlalpujahua hay varios sitios de recreo. Uno de ellos es el famoso Campo del Gallo, teatro de importantes acciones bélicas durante la guerra insurgente, actualmente es un Parque Nacional donde los lugareños organizan frecuentes paseos; otro de ellos es Tlalpujahuilla y casi inmediata a este pueblito se encuentra la Presa Brockman, en el límite con el Estado de México, lugar en donde pueden pescarse suculentas truchas o hacer caminatas a pie en el bosque circundante. Tlacotepec y San Pedro Tarímbaro son otros sitios de grata visita.

Otro importante mineral del oriente michoacano es

Angangueo, cuya explotación se inicio en el siglo XVIII.

Once kilómetros antes de llegar a Zitácuaro por la carretera número 15 se localiza la desviación a esta linda población metida entre las montañas pobladas de bosques de coníferas. Su traza es típica de las ciudades mineras: calles reptantes y sinuosas protegidas por los aleros de los tejados de las casas.

Oro, plata y cobre guardan las entrañas de sus montañas.

En el pasado fueron de gran fama sus minas de Catingón y El Carmen, esta última en el mismo centro de la población en donde puede verse la bocamina de San Hilarión.

Su iglesia parroquial, La Concepción, cuya edificación se inició en 1882, conforme al diseño del ingeniero José Rivero y el arquitecto Tiburcio Gon-

Esferas de Navidad

Bocamina

zález, es una imitación del gótico francés. Dos pintores, el noruego Walen y el norteamericano Smith, decoraron el interior del templo. El altar mayor se trajo de Italia y las imágenes de San José y la Virgen María llegaron, como los niños, de París.

Es de verse la casa de Bill Parker en donde su esposa dejó una gran colección fotográfica que constituye una buena crónica de la época de los años más recientes de ese lugar, cuando ya explotaba la minería ASARCO.

Dentro del municipio de Angangueo se localiza el más grande de los santuarios de la mariposa monarca, al que se puede acceder por vía carretera, partiendo, precísamente, de la cabecera municipal.

Termoeléctrica Los Azufres

LAS AGUAS PRODIGIOSAS

Por si todo lo aquí referido y visto fuera poco, Michoacán tiene el enorme privilegio de contar con una gran faja hidrotérmica que corre casi de modo paralelo al Río Lerma. Esta riquísima fractura geológica, que tiene ramificaciones al sur y al norte, arranca desde el enorme Cerro de San Andrés localizado entre los municipios de Maravatío, Hidalgo y Zinapécuaro, teniendo como yacimiento más importante la zona denominada *Los Azufres*.

De aquí corre un ramal hacia el sur con numerosos manantiales de aguas termales que contienen en suspensión diversas sales minerales, óxido carbónico y otros gases con aplicaciones medicinales, entre ellos se destacan los ya dichos balnearios de San José Purúa y Agua Blanca.

En el mismo Cerro de San Andrés hay más de 16 yacimientos de aguas termales, aparte del *Cimatario*, cráter en actividad -cuya energía es actualmente aprovechada por la Comisión Federal de Electricidad-, que tienen diferente composición química y distintas propiedades terapéuticas.

Siguiendo hacia el oeste están los manantiales de aguas termales de Zinapécuaro en donde existen unas magníficas instalaciones bañísticas. Cercano a este lugar los famosos manantiales de Taimeo y Araró, y en el entorno del Lago de Cuitzeo un sinnúmero de yacimientos de aguas termales y salutíferas, de los cuales solamente unos cuantos están en explotación.

De por allá parte un ramal al suroeste, hacia Morelia, en cuyas inmediaciones se encuentran los manantiales Baños del Obispo, y los balnearios de El Edén, El Ejido y Cointzio, éste último famoso desde la época colonial por la temperatura de sus aguas y sus poderes curativos, que cuenta con muy buenas instalaciones.

Siguiendo hacia el oeste del Lago de Cuitzeo continúan los manantiales de aguas termales como las de Huandacareo y Jeroche que sí están en explotación. De por ese rumbo hay un ramal que penetra al Estado Guanajuato, de donde, entre otros manantiales, brotan las aguas del balneario de La Caldera.

La sorprendente y rica franja hidrotermal continúa hasta casi los límites con el Lago de Chapala y a ella pertenecen, desde luego, el geiser de Ixtlán de los Hervores, los yacimientos de La Piedad y Yurécuaro, de Zamora y Jacona, La Alberca y Los Negritos y otro muchos más.

Precísamente a esta gran faja de aguas prodigiosas, la Secretaría de Turismo de Michoacán la ha dado el atinado nombre de ''Ruta de la Salud''.

MICHOACAN tiene todo lo que hace placentera la vida. La decisión de conocerlo está en su mano.

Los Azufres

INDICE

Michoacán . . . más cerca que nunca,
se terminó de imprimir en los talleres de Morevallado Editores
en noviembre de 1996, con un tiraje de 10 mil ejemplares.

Textos: Xavier Tavera Alfaro
Fotos: Secretaría de Turismo
del Estado de Michoacán,
Mara Color, Silva, Sordo Vial, Tavera.